Un homme au fourneau

tome II

Révision et correction : Odette Lord
Conception graphique : Josée Amyotte
Infographie : Luisa da Silva

**Catalogage avant publication de Bibliothèque et
Archives Canada**

Fournier, Guy

    Un homme au fourneau (tome II)

    1. Cuisine.   2. Cuisine – Anecdotes. I. Titre.

TX714.F68 2000   641.5   C00-941519-X

Gouvernement du Québec – Programme de crédit d'impôt pour l'édition
de livres – Gestion SODEC – www.sodec.gouv.qc.ca

L'Éditeur bénéficie du soutien de la Société de développement des entreprises culturelles du Québec pour son programme d'édition.

 Conseil des Arts   **Canada Council**
    du Canada   **for the Arts**

Nous remercions le Conseil des Arts du Canada de l'aide accordée à notre
programme de publication.

Nous reconnaissons l'aide financière du gouvernement du Canada par l'en-
tremise du Programme d'aide au développement de l'industrie de l'édition
(PADIÉ) pour nos activités d'édition.

Dépôt légal : 4e trimestre 2004
Bibliothèque nationale du Québec

ISBN 2-7619-1985-8

DISTRIBUTEURS EXCLUSIFS :

• Pour le Canada
  et les États-Unis :
  MESSAGERIES ADP*
  955, rue Amherst
  Montréal, Québec
  H2L 3K4
  Tél. : (514) 523-1182
  Télécopieur : (514) 939-0406
  * Filiale de Sogides ltée

• Pour la France et les autres pays :
  INTERFORUM
  Immeuble Paryseine, 3, Allée de la Seine
  94854 Ivry Cedex
  Tél. : 01 49 59 11 89/91
  Télécopieur : 01 49 59 11 96
  Commandes : Tél. : 02 38 32 71 00
                 Télécopieur : 02 38 32 71 28

• Pour la Suisse :
  INTERFORUM SUISSE
  Case postale 69 - 1701 Fribourg - Suisse
  Tél. : (41-26) 460-80-60
  Télécopieur : (41-26) 460-80-68
  Internet : www.havas.ch
  Email : office@havas.ch
  DISTRIBUTION : OLF SA
  Z.I. 3, Corminbœuf
  Case postale 1061
  CH-1701 FRIBOURG
  Commandes : Tél. : (41-26) 467-53-33
                 Télécopieur : (41-26) 467-54-66
                 Email : commande@ofl.ch

• Pour la Belgique et le Luxembourg :
  INTERFORUM BENELUX
  Boulevard de l'Europe 117
  B-1301 Wavre
  Tél. : (010) 42-03-20
  Télécopieur : (010) 41-20-24
  http ://www.vups.be
  Email : info@vups.be

Pour en savoir davantage sur nos publications,
visitez notre site : **www.edhomme.com**
Autres sites à visiter : www.edjour.com • www.edtypo.com
www.edvlb.com • www.edhexagone.com • www.edutilis.com

GUY FOURNIER

Un homme au fourneau
tome II

LES ÉDITIONS DE L'HOMME

Remerciements

Merci d'abord à Jacques Laurin, éditeur aux Éditions de l'Homme au moment où l'idée du premier tome a germé. Il m'a « sauvé » de l'ouverture d'un restaurant, projet que me proposaient depuis longtemps mes amis, en me suggérant plutôt d'écrire un livre de cuisine pour lequel il a d'ailleurs trouvé le titre, *Un homme au fourneau*. Titre que je n'aimais pas, mais qui s'est avéré profitable, puisqu'il a incité plus d'un homme à faire ses premières armes en cuisine.

Pierre Bourdon, l'éditeur actuel, a pris le relais et accepté d'emblée ce tome II, moins bavard que le premier sans doute, mais tout aussi personnel, puisqu'il reflète ma façon actuelle de manger et ma quête de menus qui me permettront, j'espère, d'atteindre un âge vénérable.

Si je deviens centenaire, je promets solennellement à tous ceux qui ont mangé à ma table de les inviter à un dîner bien arrosé. Ils l'auront bien gagné pour m'avoir permis de peaufiner mes façons de cuisiner, sans compter ces milliers d'heures à parler bouffe comme des affamés, alors que nous étions tous repus.

Cette fois, Linda Nantel, Diane Denoncourt et Sylvie Archambault, les responsables de l'édition, de la production et des communications et, surtout, ma si patiente et si gourmande réviseure Odette Lord ne resteront pas à la cuisine. Elles seront de la fête, elles aussi.

C'est un rendez-vous !

En guise d'avant-propos

Quoi dire que je n'ai pas déjà écrit dans l'avant-propos du tome I ? Je n'ai changé d'idée sur rien ou presque depuis. Pourtant, ma cuisine s'est beaucoup modifiée...

Depuis la publication du tome I, j'ai presque cessé de manger viande et volaille pour me nourrir surtout de poissons et de fruits de mer et augmenter encore ma consommation de légumes et de fruits. C'est ma femme Maryse qui a ouvert le bal en se souciant de son poids. Avant notre mariage, comme plusieurs autres femmes seules, il lui arrivait de se contenter d'un bol de céréales chaudes ou de deux tranches de pain tartinées de beurre d'arachide. Le soir, les femmes seules n'aiment guère aller au restaurant et je connais assez plusieurs d'entre elles pour savoir qu'elles n'aiment pas non plus préparer un repas élaboré.

Grâce au plaisir que j'éprouve à cuisiner, Maryse s'est toujours retrouvée chaque soir devant un repas de trois ou quatre services. Elle a beau être plus jeune que moi, pareil régime s'est vite reflété sur le pèse-personne. Et pour mon plus grand malheur, monter sur le pèse-personne, c'est un rituel auquel Maryse se livre tous les matins. Le 28 avril 2002, je m'en souviendrai longtemps, alors que nous venions d'ingurgiter un risotto aux fruits de mer, suivi d'andouillettes et de pommes sautées dans la graisse d'oie, puis d'une tarte au miel et aux pruneaux, Maryse m'a dit qu'elle ne m'accompagnerait plus dans ce genre de dîner quotidien. Et que dorénavant, elle boirait de l'eau.

Qu'auriez-vous fait devant semblable ultimatum ?

Ma première réaction fut de ne pas la prendre au sérieux. Combien de fois auparavant avait-elle parlé de régime pour l'oublier quelques jours après, sa gourmandise naturelle ne pouvant résister aux plats que je lui présentais ? Mais cette fois, pas question de régime. C'est notre « style de vie » qu'elle voulait changer !

Aussi bien mourir, pensai-je tout d'abord. Me priver de cervelle, de rognons, de la peau dorée d'un poulet ? De la couenne croustillante des côtelettes d'agneau ou de veau ? Dire adieu au foie à la vénitienne, au boudin persillé de gras, au magret de canard bien enrobé ? Pire encore : « mesquiner » sur l'huile dans mes salades, alléger les sauces, ne plus couronner chacun de nos repas par une assiette de fromages et un dessert ? C'est vrai que mon tour de taille n'allait pas en s'amenuisant et que mon taux de cholestérol ennuyait ma cardiologue, mais puisqu'elle me prescrivait des pilules, elles finiraient bien par en venir à bout, non ?

D'amicales négociations suivirent ce dîner, et Maryse et moi en vinrent à un compromis honorable : plus de vin et de viande en semaine et plus de desserts, sauf des fruits frais ou en compote. Plus de pain ni de fromage non plus, sauf le matin. Dissociation des féculents et des protéines. Comme Maryse savait que je n'ai pas pour monsieur Montignac trop grande admiration, elle courut à la librairie du Bazar de l'Hôtel de Ville, rue de la Verrerie, à Paris, acheter d'autres livres qui me convaincraient du côté judicieux de nous livrer à cette dissociation.

Après quelques jours cahoteux, surtout ces premiers sans vin et sans pain, notre mariage a survécu.

Ce nouveau style de vie a porté quelques coups fatals. D'abord à mon tour de taille qui a perdu 10 cm (4 po) en deux mois — une affaire qui continue à méduser mon tailleur Jean Gamache. Ensuite à mon taux de cholestérol, subitement devenu exemplaire, ce qui a dérouté ma cardiologue. Enfin, à mes principes gourmands, puisque j'ai découvert qu'une alimentation plus saine n'émoussait en rien mon désir de la bonne chère. En fait, boire de l'eau plutôt que du vin m'a amené à constater que quand plus rien ne masque le goût des aliments, il faut choisir la « matière première » avec encore plus de soin et assaisonner avec la plus grande circonspection.

À boire moins de vin, on devient aussi plus exigeant. Le petit vin de table sur lequel je ne levais pas le nez ne me plaît plus. Il faut donc investir davantage dans les bons vins, mais on en a les moyens, puisqu'en semaine... c'est régime sec !

Ce tome II reflète donc ce nouveau style de vie. S'il allait me permettre de vivre plus longtemps, je pourrais cuisiner encore des années et peut-être même vous revenir un jour avec le tome III. Mais n'anticipons pas...

il y a aussi les dettes de reconnaissance

C'est beaucoup pour m'acquitter d'une dette de reconnaissance envers ma mère et les cinq femmes qui furent mes conjointes que j'ai écrit le premier livre. Sans elles qui ont subi sans rechigner toutes mes expériences culinaires — mais elles en ont aussi profité avec gourmandise —, sans elles pour discuter bouffe tous les soirs que nous nous mettions à table, m'écoutant sans se lasser — du moins j'ose le croire — et répondant à toutes mes interrogations, c'est évident que je n'aurais pas eu la même motivation. Comme je plains les cuisiniers dont le conjoint fait la fine bouche !

Mais une chose me chicotait. Étant d'abord connu comme auteur et scénariste, j'avais peur qu'on imagine que je voulais, en écrivant ce premier livre de cuisine, monnayer une certaine notoriété comme tant de vedettes l'ont fait en publiant des livres pour lesquels elles n'étaient que des prête-noms. Amis et connaissances savent depuis longtemps que je prends la cuisine très au sérieux et que je m'y adonne quotidiennement, mais tel n'était pas le cas du grand public. Les « capsules » de cuisine que j'avais faites à la télévision étaient davantage des occasions d'humour, comme mes billets culinaires à la radio. Depuis la parution du premier tome, j'ai eu peu de commentaires négatifs, sauf peut-être en ce qui concerne la fragilité des premières reliures. Certaines appréciations m'ont beaucoup touché, en particulier les bons commentaires de Jean Soulard, chef au Château Frontenac à Québec, comme ceux de Richard Bastien, chef aux restaurants Le Mitoyen, à Sainte-Dorothée, et Leméac, à Montréal. Philippe Mollé, cuisinier et chroniqueur au quotidien *Le Devoir*, n'a pas cessé de répéter publiquement que, grâce à mon livre, le vermouth extra-dry était enfin réhabilité. C'est avec modestie et beaucoup de satisfaction aussi qu'en 2001, j'ai reçu pour le premier tome la médaille d'or de Cuisine Canada.

En voilà assez pour me donner confiance, même si le doute est le propre de tous les cuisiniers, mais il y a autre chose. Pas une semaine ne passe sans que je croise dans la rue, au marché, à l'épicerie ou chez le dépanneur une personne qui me dit cuisiner avec mon livre et qui m'affirme que mes recettes « marchent ». Grâce à ces commentaires, je me suis rendu compte que trop de livres de cuisine sont écrits pour plaire à leurs auteurs plutôt que pour rendre service. Que les recettes sont parfois expliquées de façon trop sommaire ou qu'elles ne tiennent pas compte du fait qu'on ne peut demander à chacun de passer trois heures par jour dans la cuisine.

Mes recettes sont simples, à la portée de tous et peuvent se faire en moins d'une heure. Certains plats cuisinés que j'avais omis volontairement dans le premier tome figurent dans celui-ci. Ce sont mes versions de grands classiques comme le coq au vin, l'osso buco, la choucroute ou le pot-au-feu. Ces plats demandent un long temps de préparation, mais comme on peut les préparer d'avance, on peut se consacrer entièrement à ses invités dès qu'ils arrivent.

C'est parce que plusieurs milliers de lecteurs ont apprécié le premier tome que j'ai écrit le deuxième. J'espère qu'il ne décevra personne.

modes, tendances et grandes tables

En cuisine, je ne succombe pas aisément aux modes. Pourquoi ? Parce qu'elles durent toujours juste le temps d'une mode. « Cuisine fusion », « cuisine ceci » ou « cuisine cela », quelle importance ? La première chose qu'on sait, on est passé à... autre chose !

Soit ! il y a eu la nouvelle cuisine. Cette nouvelle cuisine, c'était une façon différente d'aborder la cuisine française. Elle a marqué un tournant majeur dans l'alimentation et la gastronomie. Modes et tendances, ce n'est pas pareil. Dans 10 ans, par exemple, quel restaurant offrira encore ses divers services dans des assiettes carrées ? Ne vous précipitez pas pour acheter des services tendances, car sitôt étalés sur votre table, ils céderont la place à d'autres. On passera ensuite aux assiettes ovales, rectangulaires ou asymétriques avant de revenir aux bonnes vieilles assiettes rondes ! Ces tendances ne changent ni la façon de cuisiner, ni les goûts, ni les saveurs. C'est de la poudre aux yeux.

L'automne dernier, quel ne fut pas mon étonnement en m'attablant avec des amis au Grand Véfour, le trois macarons Michelin de l'excellent chef Guy Martin, de découvrir qu'on nous servait dans des assiettes carrées ! L'influence japonaise avait frappé jusqu'au vieux restaurant du Palais Royal ! Jean Cocteau et Colette doivent bien se retourner dans leur tombe... Quand on sert dans des assiettes carrées, on présente de « petits tas ». La façon de garnir une assiette doit bien s'ajuster à sa forme. Si la cuisine de la plupart des pays d'Occident se déguste dans des assiettes rondes depuis des millénaires, ce n'est pas sans raison... Comme il y a une raison de servir dans des assiettes et des plats carrés plusieurs mets japonais.

Ce midi-là, chez Guy Martin, j'ai mangé une entrée composée de « petits tas » et un plat principal présenté aussi en petits tas. Ni l'une ni l'autre n'avaient gagné en goût dans ces assiettes carrées. Et si ça se trouve, c'était plutôt l'inverse, puisque de petits tas refroidissent plus vite que des gros !

Actuellement, on a droit aussi à la tendance tour de Babel : les légumes de la garniture sont disposés par étages sous ou sur le pavé de viande ou de poisson ! Je n'ai rien contre ces élans de créativité dans la présentation d'un plat, mais force est d'admettre que pour venir à bout de la tour de Babel, il faut commencer par la démolir ! La suite est alors moins appétissante...

Pendant une quinzaine d'années, j'ai couru tous les grands restaurants de France.

J'ai connu, à leurs débuts, Bernard Loiseau, Georges Blanc, Marc Meneau, Jacques Lameloise, Jacques Le Divellec et Michel Lorain. J'ai vu en pleine gloire Michel Guérard, Roger Vergé, Gaston Lenôtre, Jean Lameloise, Paul Bocuse, les Troisgros, Gaston Boyer et Alain Chapel. Et, sur leur déclin, François Bise et Raymond Oliver. Depuis, d'autres étoiles sont nées : Marc Veyrat, Joël Robuchon, Christophe Cussac, Benoît Guichard, Jean-Pierre Billoux, les jumeaux Pourcel, Alain Ducasse et plusieurs autres que je ne connais pas personnellement et dont je n'ai pas fréquenté les établissements.

La raison ? Je n'en ai plus les moyens : ces deux ou trois macarons Michelin ou ces premiers de classe du Gault Millau sont désormais hors de prix. Et je comprends très bien qu'ils le soient : leurs établissements sont devenus des entreprises de luxe aux cuisines et aux salles princières et ceux où on peut passer la nuit offrent des chambres dignes des plus grands hôtels du monde. Quand il faut payer tout ça avec les repas que l'on sert, on ne présente pas de petits menus et quand note et addition sont aussi salées, il faut en mettre plein la vue. Bien que leur cuisine soit délicieuse et souvent irréprochable, il n'en reste pas moins qu'on y sert ce que j'appellerais de la « cuisine d'épate ».

et Ferran Adrià, lui ?

Ça serait un peu court de dire que le Catalan Ferran Adrià fait de la cuisine d'épate, même si la plupart des plats qu'il sert sont impossibles à adapter. Soit qu'on n'ait aucune idée de la manière dont il les a concoctés en laboratoire — car il travaille davantage en laboratoire qu'en cuisine —, soit qu'il ait amalgamé des aliments dont certains sont introuvables ou qu'il en ait marié d'autres qui demanderaient une longue expérimentation avant de délimiter les justes proportions de chacun. Comment faire sa crème glacée au foie gras ? Son écume d'eau de mer ? Son écume de champignon ? Même ses fameuses oreilles de lapin grillées ne seraient pas si faciles à trouver chez nous.

Le restaurant d'Adrià, le El Bulli, sur la Costa Brava, en Catalogne, est devenu la Mecque des gastronomes, le Saint-Jacques-de-Compostelle des pèlerins de la bouffe — mais des pèlerins bien nantis seulement. Six mois par année, on y sert 45 personnes par jour, mais plus de 300 000 personnes essaient chaque année d'y faire une réservation. C'est dire le rayonnement du El Bulli où les convives commandent en général le menu gastronomique composé de 35 plats différents. Attention, ce sont des bouchées, des tapas plutôt que des plats véritables, mais quel débordement de fantaisie, je dirais même de folie. Manger au El Bulli, ce n'est pas donné, mais pas exorbitant non plus, puisqu'on peut y manger à deux, vin compris, pour environ 500 à 600 $. D'accord, même Guy Laliberté du Cirque du Soleil ou Céline Dion ne pourraient en faire leur cantine, mais mes amis Jacques et Micki Dansereau m'ont dit qu'ils y avaient vécu l'expérience gastronomique de leur vie.

Adrià, c'est plus qu'un chef cuisinier, c'est un alchimiste, un révolutionnaire, presque un surréaliste à en juger par les plats qu'il prépare et que j'ai vus dans le livre très coûteux qu'il a publié. Plusieurs grands restaurants du monde copient le El Bulli et essaient de reproduire ses plats. Il n'est pas le seul Espagnol à hacher menu la cuisine traditionnelle. À San Sebastian, Mari Arzak et sa fille Elena suivent ses traces et Jordi Butron fait de même à Barcelone. Peut-être réussiront-ils à détrôner les grands noms de la cuisine française ? Peut-être réussiront-ils seulement à leur donner un nouveau souffle, ce qui serait déjà tout un exploit.

Montréal est loin de Barcelone et de Paris. Nos chefs et cuisiniers n'ont pas le même éclat. Pourtant, la qualité de nos tables ne cesse de s'améliorer. Nos jeunes cuisiniers sont passionnés et inventifs, et une bonne douzaine d'entre eux, qui ont aujourd'hui entre 25 et 35 ans, deviendront des chefs renommés. Pour la plupart, le chef Normand Laprise du Toqué ! est une inspiration. Sa recherche d'aliments de toute première qualité chez nos petits producteurs les inspire et leur trace la voie. À Québec, Daniel Vézina inculque aussi à ses assistants, au Laurie Raphaël, l'extrême importance de produits frais qu'on achète de jardiniers mordus et dévots comme Jean Leblond. Jean Soulard est à la tête de la grosse brigade du Château Frontenac qu'il gère avec doigté et souplesse, attitude qui n'est pas commune chez les chefs de France, et il transmet son savoir à des jeunes qui rayonneront ensuite par tout le pays. D'autres chefs comme Richard Bastien apprennent aux plus jeunes, au Mitoyen ou chez Leméac, la valeur du travail d'équipe en cuisine. Nous comptons aussi sur de merveilleux gourmands comme Josée di Stasio, Philippe Mollé, Daniel Pinard et d'autres qui ne cessent de répandre le goût de la bonne chère.

Aucune de nos tables n'a le panache des trois macarons Michelin, mais rapport qualité-prix, on mange aussi bien au Québec qu'en France, en Italie ou au Portugal et sûrement mieux que dans les autres pays occidentaux.

Aux très grandes tables, je préférerai toujours la belle tradition de la cuisine familiale. Celle, par exemple, que pratiquait la vieille maman de Georges Blanc dans sa modeste auberge de Vonnas, en France, le défunt père Bouyeux du temps où il officiait à son petit restaurant de la rue Craig, à Montréal, ou le débonnaire Maurice Poucamp dont le grand rire sonore égayait les vieux murs du restaurant Le Paris, rue Sainte-Catherine.

Cette cuisine, je la fais mienne plus que jamais. Elle suit les saisons, elle ne gaspille guère, elle n'altère pas le goût premier des aliments, elle se présente de manière appétissante, elle est savoureuse et se déguste en toute convivialité. Elle n'a besoin ni de grands crus ni d'assiettes carrées. Poissons, viandes, légumes et fruits ont leur beauté propre et c'est leur faire injure de les transformer au point de les rendre méconnaissables. Ils ont leurs arômes et leurs saveurs et à trop vouloir en faire, on les assassine.

Les recettes que je présente dans ce livre sont toutes simples, ce qui n'exclut pas la fantaisie ni certains aliments plus chers, comme le caviar ou le homard. Si notre homard est le meilleur du monde, tel n'est pas le cas de notre caviar d'esturgeon, si inégal et jamais mieux qu'acceptable. Pas question d'en faire la base d'une entrée ou d'un plat, mais seulement de s'en servir pour relever leur goût ou les rendre plus attrayants.

Ces plats, je les prépare à la maison pour ma femme et presque chaque semaine, je fais à l'intention des amis que je reçois les plats qui demandent plus de soin ou de temps. Pour moi, manger reste une fête quotidienne et si le ciel existe et qu'il est peuplé de purs esprits, je choisirai de vivre ailleurs mon éternité... Car les purs esprits, si je me souviens bien, n'ont pas besoin de manger. Quelle éternité interminable!

Agneau
Aiglefin
Asperge

AGNEAU

Il n'y a pas de meilleur foie que le foie d'agneau ou de chevreau. Et je suis toujours surpris de voir que la plupart des gens mangent du foie de veau, moins singulier et plus cher. Surtout qu'au Québec, le foie de veau n'est guère constant. Il provient souvent d'un veau de grain. Le foie s'apparente alors bien plus à du foie de génisse qu'à du foie de veau de lait. Le foie d'agneau (ou de chevreau), lui, est constant : toujours le même goût et toujours sensiblement la même grosseur.

À moins d'avoir une fourchette gargantuesque, le foie d'agneau entier sert 3 personnes. Comme il pèse moins de 1 kg (2 ¼ lb), on peut le faire cuire entier, ce qui n'est pas un mince avantage. Le foie garde ainsi toute sa saveur et, une fois cuit, on en fait des tranches à l'épaisseur voulue. On le tranche légèrement en biais de manière à obtenir de plus grande tranches. Bien disposées dans l'assiette, celles-ci sont infiniment plus appétissantes que le foie qu'on doit poêler en tranches.

animelles d'agneau ou de chevreau

Si vous cherchez des recettes d'animelles (testicules), vous aurez beaucoup de mal à en trouver. Il n'en existe à peu près pas. J'en ai trouvé quelques-unes dans de vieux livres de recettes français, mais on n'y parlait pas d'animelles. Par pudeur, on parlait plutôt de rognons blancs !

Il est difficile de trouver des animelles, car la plupart des abattoirs les cèdent aux fabricants de nourritures animales. Il faut presque connaître un éleveur d'agneaux ou de chèvres. De plus, il faut que cet éleveur lève le nez sur les animelles. Si l'éleveur est un gourmet, vous n'aurez aucune chance : il les gardera pour lui. Les animelles constituent un mets d'une grande délicatesse que ceux qui font des caprices, hélas, ne connaîtront jamais. Tant pis pour eux.

L'une des premières fois que j'ai cuisiné des animelles, tout à fait par instinct, car je n'avais trouvé aucune recette ni aucune indication sur la façon de les parer, j'en ai servi à mon frère Daniel et à sa femme Janine, qui vivent à Génilac, non loin de Lyon, en France, et à mon ami, Mgr Jacques Gaillot, un Parisien d'adoption originaire de la campagne française en Vendée. Ni à lui ni aux autres, je n'avais dit ce qu'ils mangeaient, les laissant plutôt deviner. On a pensé tout d'abord que j'avais cuisiné des ris de veau, car les animelles s'y apparentent un peu. Une fois cuite, l'animelle a une texture qui fait aussi penser au foie gras que l'on poêle. Quand je leur ai appris ce qu'ils venaient de manger, aucun n'a levé le nez, puisqu'ils avaient tous apprécié. Morale de cette histoire : si vous servez des animelles à vos invités, dites-leur seulement ce que vous leur avez préparé après le fait. Si vous leur dites avant, ils risquent de faire la fine bouche et de s'en priver.

Depuis ce jour-là, j'ai trouvé quelques recettes d'animelles dans la vieille collection « Cuisiner mieux » de Time Life. Si les recettes que j'ai mises au point ne vous allument pas, vous pouvez toujours recourir à celles de Time Life, mais je ne les ai pas encore expérimentées !

pour parer les animelles

Pour sortir les animelles (testicules) de leur sac, on incise légèrement du côté bombé dans le sens de la hauteur. Il faut traverser la membrane externe, puis les deux épaisseurs de peau qui les enveloppent. Pour enlever la dernière peau qui adhère au testicule, il faut l'inciser un peu. On retire le testicule avec les doigts, puis on le met à dégorger environ 2 h dans de l'eau froide additionnée d'un peu de vinaigre. Si on le souhaite, je le fais rarement, on peut faire blanchir les animelles 1 min dans l'eau bouillante, puis on les refroidit ensuite à l'eau froide.

animelles poêlées
POUR 3 PERSONNES EN PLAT PRINCIPAL
POUR 6 PERSONNES EN ENTRÉE

4 à 6 animelles d'agneau ou de chevreau, selon la grosseur

Farine
Sel et poivre du moulin
3 c. à soupe d'huile d'olive
1/2 citron

Trancher les animelles dans le sens de la largeur en fines tranches d'environ 0,5 cm (1/4 po) d'épaisseur. Mettre environ 30 g (1/4 tasse) de farine dans un sac avec du sel et du poivre, puis enfariner légèrement les tranches d'animelles sans trop les manipuler pour ne pas les abîmer.

Dans une poêle, faire chauffer l'huile d'olive et, quand elle est bien chaude, y glisser les animelles. Cuire seulement de 2 à 3 min de chaque côté. Servir sur des canapés en arrosant d'un filet de jus de citron ou, si on sert les animelles comme plat principal, les servir arrosées d'un filet de jus de citron accompagnées de tranches de patate douce sautées dans de la graisse de canard et d'une salade verte.

boulettes d'agneau
POUR 4 PERSONNES

170 g (1 1/2 tasse) de panure fraîche
60 ml (1/4 tasse) de lait
Une pincée d'herbes de Provence
1 gousse d'ail hachée finement
75 g (1/2 tasse) de raisins secs
55 g (1/2 tasse) de pistaches hachées assez fin
100 g (3 1/2 oz) de lard entrelardé coupé en tout petits dés
2 œufs battus
60 ml (1/4 tasse) d'huile d'olive
1 oignon tranché en rondelles fines

6 à 8 tomates italiennes pelées et
    épépinées

1 c. à soupe de pâte de tomate

60 ml (¼ tasse) de vermouth blanc extra-
    dry

6 à 8 feuilles de menthe fraîche, hachées

65 g (½ tasse) de farine

375 ml (1 ½ tasse) d'huile d'arachide

450 g (1 lb) d'agneau haché

Mettre la panure dans un grand bol, la
mouiller avec le lait, puis ajouter les herbes,
l'ail, les raisins et les pistaches. Mélanger
avec les mains. Dans une petite casserole,
faire fondre légèrement les dés de lard.
Les ajouter au mélange, puis bien mêler
avec les œufs. Réserver.

Dans une cocotte de porcelaine émaillée,
faire chauffer l'huile d'olive, ajouter les
rondelles d'oignon et les faire suer de 5 à
10 min en remuant. Ajouter les tomates, la
pâte de tomate délayée dans le vermouth,
augmenter le feu et faire bouillir 5 min.
Baisser à feu extrêmement doux, ajouter les
feuilles de menthe, couvrir et laisser mijoter
environ 45 min.

Mettre la farine dans une assiette plate.
Faire chauffer l'huile d'arachide dans une
cocotte à frire. Avec les mains, façonner
des boulettes d'agneau d'environ 4 cm
(1 ½ po) de diamètre, les enrober de
farine, puis les faire frire environ 8 min en
les tournant. Ne pas mettre une trop grande
quantité de boulettes à la fois. Lorsqu'elles
sont bien dorées, déposer les boulettes sur
quelques épaisseurs de papier essuie-tout.

De 10 à 12 min avant de servir,
augmenter le feu sous la sauce tomate,
déposer les boulettes dans la sauce, puis
les faire chauffer 10 min. Servir tel quel ou
avec du céleri braisé.

foie d'agneau ou de chevreau entier

POUR 3 PERSONNES

1 foie entier d'agneau ou de chevreau

3 c. à soupe d'huile d'olive vierge

1 oignon jaune coupé en rondelles

2 gousses d'ail émincées finement

2 c. à soupe de vinaigre de xérès, de
    framboise ou de cassis

Sel et poivre du moulin

60 ml (¼ tasse) de vin rouge

Une noix de beurre

Un bon bouquet de thym frais, effeuillé

Une mince pellicule recouvre le foie. Bien parer
le foie en enlevant le plus de pellicule possible,
sinon le foie aura tendance à « friser » en
poêlant. Enlever toutes les veines apparentes.
Enrouler le foie dans une serviette et le laisser
à température de la pièce pendant 1 h.

Faire chauffer l'huile dans une grande
poêle, puis y faire revenir l'oignon. Lorsqu'il
est presque cuit – certaines rondelles peuvent
être légèrement rôties, le plat n'en sera que
meilleur –, ajouter la moitié de l'ail. Cuire
encore quelques minutes, puis déglacer au
vinaigre. Quand le vinaigre s'est évaporé,
réserver le tout au chaud.

Dans la même poêle, à feu assez vif,
déposer le foie sur le côté plat. Cuire de

4 à 5 min, puis le retourner, saler et poivrer. Cuire encore de 4 à 5 min. Dès que des gouttes de sang commencent à perler, le retirer du feu, le déposer dans une assiette de service bien chaude et réserver au chaud.

Déglacer la poêle au vin, gratter les sucs avec une cuillère en bois, ajouter le beurre et réduire. Quand la sauce a diminué de moitié, la verser sur le foie. Parsemer le foie de l'ail qui reste et des feuilles de thym, puis disposer les oignons autour. Servir dans des assiettes chaudes avec un légume vert.

 ### fricassée d'animelles aux champignons sauvages

POUR 4 PERSONNES

10 g (¼ tasse) de champignons sauvages séchés
6 à 8 animelles d'agneau ou de chevreau, selon la grosseur
3 c. à soupe d'huile d'olive
50 g (⅓ tasse) de lard entrelardé coupé en dés
1 oignon jaune émincé finement
2 gousses d'ail émincées finement
Sel
80 ml (⅓ tasse) de sauce tomate bien assaisonnée ou, à la rigueur, 3 à 4 c. à soupe supplémentaire de pâte de tomate
60 ml (¼ tasse) de vermouth blanc extra-dry
2 c. à soupe de pâte de tomate
2 c. à soupe de romarin frais, haché
Poivre du moulin
2 c. à soupe de cognac
Un petit bouquet de persil frais, haché

Couvrir les champignons d'eau et les faire réhydrater environ 2 h. Les assécher, mais garder l'eau dans laquelle ils ont trempé.

Parer les animelles (voir p. 18). Couper chaque testicule en 2 dans le sens de la hauteur, puis réserver dans un linge à vaisselle.

Mettre la moitié de l'huile dans une sauteuse, puis y faire cuire les lardons à feu doux jusqu'à ce qu'ils soient tendres. Ajouter l'oignon, augmenter le feu et faire sauter de 3 à 4 min. Ajouter l'ail et les champignons et faire sauter encore 1 min, tasser ces ingrédients sur les bords de la sauteuse, ajouter l'huile qui reste et y faire revenir à feu vif les animelles de 2 à 3 min de chaque côté. Saler légèrement.

Pendant ce temps, mélanger la sauce tomate, le vermouth, la pâte de tomate et l'eau des champignons. Verser sur les animelles, puis ajouter le romarin et le poivre. Couvrir à demi et faire mijoter à feu moyen environ 40 min. En fin de cuisson, ajouter le cognac et le persil.

Servir tel quel avec du pain grillé, des pommes de terre sautées ou des tranches de panais ou de patate douce sautées.

AIGLEFIN

L'aiglefin est un excellent poisson qu'on trouve presque toute l'année dans les poissonneries. Et il possède une belle qualité : il n'est pas trop cher. Comme c'est un poisson un peu fade, on a intérêt à le servir bien relevé.

aiglefin à l'italienne
POUR 2 À 3 PERSONNES

4 c. à soupe d'huile d'olive

1 petit oignon jaune coupé en rondelles

1 petit poivron jaune coupé en rondelles

1 petit poivron vert coupé en rondelles

2 petites tomates ou 1 grosse, pelées et
coupées en rondelles

1 c. à café (1 c. à thé) de zeste de citron
haché

2 gousses d'ail émincées

Sel et poivre du moulin

60 ml (1/4 tasse) de vermouth blanc extra-dry

1 c. à soupe de pâte de tomate

1 œuf battu avec 2 c. à soupe d'eau
pétillante ou ordinaire

75 g (2/3 tasse) de chapelure fraîche

3 petits filets d'aiglefin ou 2 gros

6 à 8 feuilles de sauge fraîche
grossièrement hachées

Un petit bouquet de persil haché

1 c. à soupe de jus de citron

1 c. à soupe d'huile de noisette

Dans une sauteuse, à feu moyen, faire
chauffer 3 c. à soupe d'huile d'olive. Y étaler
les oignons et les faire cuire 2 min. Ajouter
les poivrons et cuire encore jusqu'à ce
qu'oignon et poivrons soient al dente. Ajouter
les rondelles de tomate, le zeste de citron,
l'ail, le sel, le poivre ainsi que le vermouth
mélangé avec la pâte de tomate. Laisser cuire
de 5 à 6 min, puis réserver au chaud. Les
légumes doivent rester légèrement al dente.

Battre l'œuf et l'eau dans un plat. Étaler
la chapelure dans une grande assiette.

Dans une poêle à poisson, faire chauffer le
reste de l'huile d'olive à feu vif. Pendant ce
temps, passer les filets d'aiglefin dans l'œuf
battu, puis couvrir chaque filet de chapelure.
Les secouer pour enlever le surplus. Dans la
poêle, cuire les filets de 2 à 3 min, les
retourner, puis ajouter sauge et persil, et
cuire encore environ 2 min.

Déposer les filets dans des assiettes
chaudes, puis les arroser d'un peu de jus
de citron. Répartir les légumes sur les filets,
puis arroser légèrement d'huile de noisette.
Servir tel quel comme plat principal.

aiglefin à la sauce tomate
POUR 4 PERSONNES

la sauce

3 tomates coupées en gros morceaux

1 branche de céleri coupée en gros
morceaux

1 petit piment oiseau ou une petite pincée
de piment fort

1 petit oignon jaune ou la moitié d'un gros,
haché grossièrement

2 à 3 gousses d'ail déshabillées

Un petit bouquet composé de menthe et de
coriandre fraîches réunies ou 1 c. à café
(1 c. à thé) d'herbes de Provence séchées

Le zeste de 1/4 de citron haché grossièrement

1 c. à café (1 c. à thé) de sucre

1 c. à soupe de pâte de tomate

125 ml (1/2 tasse) de vermouth blanc extra-
dry ou de vin blanc sec

1 c. à soupe d'huile d'olive ou de tournesol

Sel et poivre du moulin

le poisson

4 petits filets d'aiglefin ou 2 gros, soit
   env. 200 g (7 oz) par personne
1 œuf
2 à 3 c. à soupe d'eau froide
115 g (1 tasse) de belle chapelure fraîche
3 à 4 c. à soupe d'huile d'olive ou
   de tournesol

la sauce

Mettre tous les ingrédients de la sauce dans une casserole et faire chauffer à feu vif. Dès que les ingrédients sont réchauffés, baisser le feu pour que la sauce mijote et couvrir. Laisser cuire ainsi à feu très doux de 2 à 3 h. Verser ensuite dans un mélangeur et réduire en purée. Passer cette purée au chinois afin d'obtenir une belle sauce lisse et sans fibre. Réserver dans une petite casserole. On peut préparer la sauce à l'avance et la faire réchauffer au moment opportun.

le poisson

Bien essuyer les filets d'aiglefin avec un linge. Dans un cul-de-poule, battre l'œuf et l'eau. Étendre la chapelure sur le comptoir ou dans une grande assiette. Faire chauffer l'huile dans une poêle qui peut contenir tout le poisson. Quand l'huile est chaude, passer chaque filet dans le mélange d'œuf et d'eau, puis couvrir chaque filet de chapelure. Cuire les filets dans la poêle, à feu vif, environ 3 min. Retourner les filets avec deux spatules afin de ne pas les briser et cuire encore environ 3 min.

Quand les filets sont cuits, les mettre sur quelques épaisseurs de papier essuie-tout pendant quelques secondes, puis les déposer dans des assiettes chaudes. Napper chacun des filets de sauce tomate. Servir immédiatement avec une purée de pommes de terre bien chaude.

ASPERGE

Vous m'accuserez peut-être de radoter, mais je voudrais redire deux choses importantes au sujet des asperges : il faut les peler et il faut les manger en saison. Ce n'est pas parce que dans certains grands restaurants on ne se donne pas la peine de peler les asperges qu'il faut vous laisser aller à pareille hérésie. Les asperges doivent être pelées comme on pèle aussi le céleri (côté fibres), les feuilles extérieures du fenouil (côté fibres aussi) et plusieurs autres légumes.

On n'a d'autant moins de raison de ne pas peler les asperges — et je ne parle pas des blanches qui seraient immangeables avec leur « cuir » extérieur, mais des vertes, si fraîches soient-elles — qu'on vend maintenant des couteaux conçus expressément pour les peler. On les vend, entre autres, chez Després Laporte (voir tome I, p. 166). Ils ne se donnent pas, mais ils valent leur pesant d'or.

Quant à manger des asperges de Californie ou du Mexique qui ont souvent la fraîcheur de bouts de bois, je préfère m'abstenir.

asperges nouvelles
POUR 4 PERSONNES

1 kg (2 ¼ lb) d'asperges nouvelles
2 c. à soupe de beurre
1 c. à soupe d'huile de noisette

3 c. à soupe d'huile de tournesol

1 c. à café (1 c. à thé) de vinaigre
balsamique

2 c. à soupe de jus de citron

1 c. à café (1 c. à thé) de fleur de sel

1 c. à soupe de poivre rose

Laver les asperges sous le robinet afin qu'il n'y ait ni sable ni terre dans les pointes. Couper les asperges pour qu'elles aient toutes la même longueur en s'assurant d'enlever toute la partie fibreuse. Peler les asperges avec un couteau économe. Pour peler les asperges sans les briser, on les couche à plat sur le comptoir et on pèle de la tête vers le pied.

Dans une cocotte à asperges ou dans une marguerite, cuire les asperges à la vapeur, de 6 à 8 min, selon leur grosseur.

Pendant ce temps, déposer tous les ingrédients, moins la fleur de sel et le poivre rose, dans un bol allant au four ou au micro-ondes. Chauffer rapidement jusqu'à ce que le beurre soit fondu, émulsionner avec une fourchette et réserver.

Dès que les asperges sont cuites, les étendre sur une serviette absorbante ou quelques épaisseurs de papier essuie-tout pour quelques secondes, puis les répartir également dans des assiettes chaudes. Les napper de la sauce, puis parsemer de fleur de sel. Parsemer les assiettes de poivre rose pour la décoration et servir immédiatement.

 ## asperges poêlées au parmesan

POUR 4 PERSONNES

1 kg (2 ¼ lb) d'asperges bien fraîches

5 c. à soupe de beurre

1 c. à soupe d'huile de noix, de sésame ou
d'olive

60 ml (¼ tasse) de vermouth blanc
extra-dry ou de vin blanc

Sel

1 c. à soupe de jus de citron

Quelques gouttes de vinaigre balsamique

Poivre du moulin

2 c. à soupe de persil frais, haché

30 g (¼ tasse) de parmesan fraîchement râpé

Laver les asperges, les peler au couteau économe, puis couper chacune en morceaux de 3 à 4 cm (1 ¼ à 1 ½ po) de longueur. Réserver les têtes.

Dans une sauteuse, faire chauffer la moitié du beurre et l'huile, puis ajouter les asperges, sauf les têtes, ainsi que le vermouth ou le vin blanc. Saler. Couvrir et faire cuire à feu plutôt vif pendant 5 à 6 min. Ajouter les têtes, puis, toujours à couvert, faire cuire encore de 5 à 6 min. Découvrir, ajouter le reste du beurre en petits morceaux puis, dès qu'il est fondu, le jus de citron et le vinaigre balsamique mélangés au reste de l'huile. Saler au goût, poivrer, puis ajouter le persil. Servir dans des assiettes chaudes en saupoudrant légèrement de parmesan.

Baklavas

Bar

Barbecue

Batterie et équipement de cuisine

Betterave

Bigorneaux

Biscuits

Bœuf

Bortsch

Brocoli

BAKLAVAS

Il y a très, très longtemps existait à Montréal, à l'angle des rues Drummond et Sainte-Catherine, une pâtisserie célèbre qui portait le nom de Aux délices. Le samedi, c'était le rendez-vous de tous les Montréalais qui aimaient les fines pâtisseries. Je devais avoir 12 ou 13 ans lorsque m'y amena un oncle curé qui gagnait bien sa vie comme prêtre à l'église Saint-Germain d'Outremont et comme entomologiste à l'Université de Montréal.

C'est dans cet établissement qui sentait bon le sucre, la pâte et l'eau de rose que je découvris pour la première fois le baklava, ce gâteau grec qui est le roi de la pâtisserie proche-orientale. Et Dieu sait que dans cette région du globe, on a la dent sucrée et le goût fin. Pour une raison que je n'arrive pas trop à comprendre, ces délicieux losanges me semblaient un tel mystère que je ne cherchai jamais à en concevoir la fabrication jusqu'à ce que mes fils ramènent à la maison, à l'âge de l'adolescence, les enfants du Dr Joseph Saine, un médecin bien connu et très controversé de la rue Saint-Denis.

Michel, devenu médecin depuis, décida de me montrer à faire des baklavas comme on en faisait dans sa famille d'origine arménienne. Michel avait trouvé le moyen de rendre un peu plus québécois ce gâteau grec par excellence en remplaçant le sucre par du sirop d'érable. Par la suite, quand je mariai une femme d'origine libanaise et que je lui racontai que je mangeais des baklavas au sirop d'érable, elle faillit s'étouffer. Il s'agissait pour elle d'un sacrilège, d'un véritable affront fait à une pâtisserie dont la fabrication n'a sans doute pas changé depuis des siècles.

C'est ainsi qu'on peut faire des baklavas avec des noix de Grenoble, des amandes ou des pistaches, mais la véritable recette du Proche-Orient veut qu'on les fasse avec des pistaches. Là-dessus, je suis tout à fait d'accord, car je trouve que les noix de Grenoble donnent un goût légèrement amer à cette pâtisserie et les amandes, un goût trop fade.

Quand on travaille avec la pâte filo, il faut faire attention, car elle sèche très vite. Surtout la pâte faite à la main, qui est encore plus mince et plus délicate que celle qui est fabriquée à la machine. La façon la plus simple est de toujours laisser la pâte recouverte d'un linge à vaisselle humide. Pour étendre chaque couche de pâte dans le moule, mieux vaut le faire à quatre mains. La pâte risque moins de faire des plis.

ma recette de baklavas

Même si je garde le meilleur souvenir des baklavas au sirop d'érable, je vous propose trois versions différentes de sirop.

POUR 1 MOULE D'ENVIRON
40 x 25 CM (16 x 10 PO)

la québécoise pure laine

250 ml (1 tasse) de sirop d'érable
80 ml (¹/₃ tasse) d'eau
1 c. à soupe de jus de citron
2 c. à soupe d'eau de rose

ma version préférée

125 ml (¹/₂ tasse) de sirop d'érable
125 ml (¹/₂ tasse) de miel très doux
125 ml (¹/₂ tasse) d'eau
1 c. à soupe de jus de citron
2 c. à soupe d'eau de rose
1 c. à soupe d'eau de fleur d'oranger

la version pure et dure

260 g (1 ¹/₄ tasse) de sucre
125 ml (¹/₂ tasse) d'eau de source
1 c. à soupe de jus de citron
2 c. à soupe d'eau de rose

les gâteaux

165 g (1 ¹/₂ tasse) de pistaches bien fraîches grossièrement hachées
70 g (¹/₃ tasse) de sucre
1 c. à soupe de cardamome réduite en poudre
1 c. à soupe d'eau de fleur d'oranger
225 g (¹/₂ lb) de beurre doux fondu

450 g (1 lb) de pâte filo (environ 24 feuilles)

le sirop

Choisir le sirop, puis le préparer en mettant tous les ingrédients à bouillir, sauf l'eau de rose et l'eau de fleur d'oranger, s'il y a lieu. Dès que le sirop a légèrement épaissi, ajouter l'eau de rose et l'eau de fleur d'oranger, faire bouillir encore 1 min, puis laisser refroidir.

les gâteaux

Mélanger les pistaches hachées avec le sucre, la cardamome et l'eau de fleur d'oranger.

Beurrer au pinceau le fond et les côtés d'un grand moule en métal ou en verre, puis beurrer une à une 8 feuilles de pâte et les superposer dans le fond du moule en repliant légèrement les bords quand c'est nécessaire. Étaler dessus la moitié des pistaches. Beurrer ensuite 8 autres feuilles de pâte, puis les étaler une par une sur les pistaches. Étaler ensuite le reste des pistaches dessus. Terminer en beurrant les 8 feuilles de pâte qui restent et en les étalant une à une sur les pistaches. Il faut travailler relativement vite pour que les feuilles de pâte ne sèchent pas.

Avec un couteau fin et bien aiguisé, couper en biais ce grand gâteau de manière à former de petits losanges. Y verser le beurre fondu qui reste.

Faire cuire au centre du four préchauffé à 180 °C (350 °F) pendant 15 min, puis augmenter la chaleur à 190 °C (375 °F) et cuire encore environ 15 min ou jusqu'à ce que les gâteaux soient légèrement dorés. Trop cuits, les baklavas sont beaucoup moins moelleux et se démoulent très mal.

Sortir du four, passer un couteau autour du moule et dans tous les traits déjà faits, puis arroser lentement du sirop refroidi en prenant soin de le répartir adéquatement. Laisser refroidir le tout et démouler à mesure la quantité de losanges que l'on souhaite servir.

On peut conserver les baklavas plusieurs jours dans un endroit frais, à condition que le moule soit recouvert hermétiquement. On peut aussi transférer les baklavas dans une boîte de métal qui ferme bien. Ne jamais les garder au frigo, car le beurre figerait de façon bien désagréable et, au sortir du frigo, les baklavas deviendraient trop humides.

BAR

François Darrigrand, mon cousin basque, est presque aussi amateur de poisson que je le suis. C'est lui qui m'a refilé cette recette de bar vapeur, un peu longuette à préparer, mais qui étonnera vos invités par son originalité et sa saveur. On peut remplacer le bar par de la morue ou du flétan.

bar vapeur
POUR 4 PERSONNES

1 kg (2 1/4 lb) de carottes
160 ml (2/3 tasse) d'huile d'olive vierge
2 c. à soupe d'huile de noix ou de noisette
10 g (env. 2 c. à thé) de graines de cumin

3 gousses d'ail hachées finement
Le zeste de 1 orange
1 litre (4 tasses) de jus d'orange
1 citron jaune
Sel
2 ou 3 pincées de sucre
4 filets de bar de 150 g (5 oz) chacun
    avec la peau
Poivre du moulin
Le jus d'un autre citron
Un bouquet de coriandre fraîche

Préchauffer le four à 180 °C (350 °F).

Éplucher les carottes et les couper en rondelles. Mettre dans une casserole les carottes, les huiles, le cumin, l'ail, le zeste et le jus d'orange. Cuire au four pendant 3 h.

Envelopper un des deux citrons dans une feuille de papier d'aluminium en le roulant quelques fois sur lui-même, puis le mettre au four sur une plaque pendant 1 h.

Couper ce citron en 2, en retirer les pépins et le passer au robot ou au mélangeur en entier. Ajouter une pincée de sel et 2 ou 3 pincées de sucre, selon l'amertume de la purée ainsi obtenue. Réserver.

Cuire le poisson à la vapeur. Dès que les filets sont cuits, saler, poivrer et les dresser dans chaque assiette sur un lit de carottes sans leur jus. Ajouter le jus de l'autre citron à celui des carottes et faire réduire rapidement à feu vif. Déposer sur chaque filet une cuillerée de purée de citron, puis napper du jus des carottes. Décorer de feuilles de coriandre ciselées.

BARBECUE

Je l'ai déjà écrit dans le premier tome, je ne suis pas un fanatique du barbecue. En fait, c'est très rare que j'utilise cette forme de cuisson, surtout depuis que ces «machines» fonctionnent au gaz. Ma théorie? Pourquoi cuisiner à l'extérieur sur un appareil moins performant que ma cuisinière? Ce que je pourrais y faire griller, je peux tout aussi bien y arriver sur la cuisinière ou sous le gril du four. «Oui, mais ça réchauffe la cuisine», réplique-t-on souvent. Et puis après? Ma cuisine est climatisée, alors j'ai bien plus chaud à cuisiner dehors que dans la maison.

Quand j'ai cuisiné au barbecue, je l'ai toujours fait avec du véritable charbon de bois, car j'ai toujours eu horreur de ces briquettes faites à base de pétrole, qui empestaient les environs.

Il y a de véritables maniaques du barbecue et je n'ai pas du tout l'intention de les convertir. Bien faite, la cuisine au barbecue a des avantages: elle ne nécessite pas de matières grasses, elle préserve sels et minéraux des aliments et elle n'altère pas leur goût. Les légumes, en particulier, constituent de «bons sujets» pour le barbecue.

L'épaisseur des viandes qu'on achète a son importance: les tranches ne doivent jamais avoir moins de 2 cm ($^3/_4$ po) et jamais plus de 4 cm ($1^1/_2$ po). Si la viande est recouverte d'une petite peau, il faut prendre soin de l'enlever afin que la viande ne «frise» pas. La viande doit toujours être à température de la pièce, puis épongée avec soin. Si on la fait mariner, il faut s'assurer qu'elle ne dégoulinera pas dans le feu pendant la cuisson. Il faut aussi enlever le gras des viandes, sinon, ce n'est pas de la viande grillée qu'on mangera, mais de la viande fumée.

Il y a des préalables au barbecue au gaz, tout comme il y en a pour le charbon de bois. Quand on cuisine au charbon de bois, le feu est prêt seulement lorsqu'il est couvert d'une couche de cendres grises à travers lesquelles on aperçoit l'incandescence du feu. Pour en arriver là, il faut environ 30 min. Par la suite, il faut toujours ajuster la hauteur de la grille selon la cuisson désirée. Le barbecue au gaz, il faut le préchauffer au moins 10 min à l'avance.

Il faut aussi huiler la grille et ne pas déposer les aliments trop près les uns des autres. Ne jamais beurrer les grilles. Le beurre brûle, fume et donne une saveur âcre aux aliments.

La viande, on la saisit, sinon elle perd son jus. C'est encore plus important pour une viande rouge.

Le sel, on le réserve pour la fin de la cuisson, sinon il contribuera à assécher la viande, car il en fait sortir le sang.

Quand on cuisine au barbecue, le papier d'aluminium est un must. Comme les brochettes, évidemment. Il est préférable d'utiliser des brochettes de bois et il faut souvent en utiliser deux si l'on ne veut pas que les aliments tournent. Les légumes, les fruits de mer ou les morceaux de viande qu'on enfile sur deux brochettes parallèles restent stables et se retournent bien.

Pour les brochettes de légumes, les légumes durs surtout, mieux vaut les faire blanchir au préalable.

Les steaks sont les grandes vedettes du barbecue, mais on les maltraite souvent. Pour obtenir de vrais bons steaks grillés, on doit les acheter quelques heures seulement avant de les faire cuire afin qu'ils ne perdent pas la moitié de leur sang au frigo. Et ils doivent absolument être à température de la pièce avant de passer au gril. À plus forte raison, si on les mange bleus et qu'on les veut chauds !

Viandes et légumes grillés s'accompagnent presque toujours d'un beurre composé ou d'une sauce. Voici ce que je recommande.

Pour les beurres, on mélange bien, on fait un rouleau qu'on enveloppe dans du papier d'aluminium et on met au congélateur. La sauce au fromage bleu, on la met dans un contenant de plastique qu'on place au congélateur. Avec un couteau dont on a trempé la lame dans l'eau très chaude, on coupe ensuite la quantité désirée.

le beurre à l'ail

Environ 115 g (1/2 tasse) de beurre, 8 gousses d'ail, du gros sel, des grains de poivre et quelques gouttes de jus de citron. Piler l'ail au mortier avec le sel et le poivre, incorporer le beurre mou, bien mélanger, puis ajouter quelques gouttes de jus de citron.

le beurre à la moutarde

Beurre et moutarde de Dijon dans les proportions qu'on préfère.

le beurre aux herbes

3 c. à soupe d'herbes fraîches, hachées pour 240 g (1 tasse) de beurre et 1 c. à soupe de jus de citron.

la sauce au fromage bleu

Du fromage bleu (danois, roquefort, bleu d'Auvergne ou autre), puis deux fois la quantité de crème sure. Bien mélanger, saler et poivrer.

BATTERIE ET ÉQUIPEMENT DE CUISINE

Jean Gamache est probablement le meilleur tailleur du Québec. À Granby, où il exerce toujours le métier qu'exerçait son père, Jean rêve littéralement de couture. Il fouille tous les magazines, il connaît tous les tissus sur le bout de ses doigts et il ne quitte son atelier de la rue Principale, fréquenté par l'élite politique et culturelle du Québec, que pour s'adonner aux plaisirs de la cuisine.

Mais si Jean est un couturier hors du commun, il a encore beaucoup à apprendre au fourneau. Il le sait, ne s'en cache pas et demande conseil. Je ne mets jamais les pieds chez lui sans qu'il me demande, dans un prochain livre, de détailler les accessoires essentiels d'une batterie de cuisine.

Comme je craindrais qu'il ajuste mal mes costumes si je ne me rendais pas à sa demande, je m'exécute, sachant très bien que cette nomenclature rendra service à plusieurs autres qui se posent les mêmes questions.

On peut cuisiner avec presque rien. Moins on a d'équipement, plus la tâche est ardue, car l'équipement de cuisine n'a pas été inventé inutilement. Si des dizaines et des dizaines d'outils sont parfaitement inutiles et ne servent qu'à enrichir leurs fabricants et les détaillants, il y en a d'indispensables. Je vais essayer de vous en dresser une liste.

Parlons d'abord qualité. Mieux vaut avoir peu d'outils, mais qu'ils soient d'excellente qualité.

les couteaux

Vous aurez beau acheter tous les couteaux sur le marché, ils ne remplaceront jamais un seul bon couteau. Un bon couteau, c'est un couteau qui se tient bien en main et dont le poids est bien réparti entre le manche et la lame. Les meilleurs couteaux peuvent être affûtés pendant des années sans jamais perdre leur tranchant. Jusqu'à récemment, les meilleurs manches étaient faits de bois à grain serré, mais on fabrique maintenant d'excellents manches en matière synthétique qui résistent au lave-vaisselle si l'on a la faiblesse d'y mettre ses couteaux. De plus, il faut acheter les couteaux dont la lame est en inox à forte teneur de carbone.

• **Couteaux indispensables :** 1 petit couteau d'office, 1 économe, 1 couteau à hacher, 1 couteau à découper et 1 couteau à huîtres.

Le couteau d'office, c'est le petit couteau traditionnel dont nos grands-mères se contentaient.

Le couteau à hacher a une lame large, légèrement incurvée, qui s'effile à la pointe. Pour hacher, on pose une main à plat sur le dos de la lame, au bout, tandis que de l'autre main, on imprime à la lame un mouvement de haut en bas en pesant sur le manche.

Le couteau à découper a une longue lame à pointe aiguisée.

L'économe à lame fixe ou pivotante fait mille choses, y compris prélever le zeste des fruits. Il vaut mille fois mieux que les zesteurs qui sont absolument sans intérêt.

Le couteau à huîtres tout simple au manche en bois est d'une grande utilité, même si l'on ne mange jamais d'huîtres. Avec sa pointe, on vide des tomates, on entrouvre les boîtes de conserve, on enlève les noyaux des fruits qu'on coupe en 2, on sépare des aliments congelés, on perce les gigots pour insérer de l'ail et quoi encore.

• **Couteaux dont on peut, à la rigueur, se dispenser :** Couteau à fileter à la lame pointue, très longue et flexible ; couteau hachoir en demi-lune ; couteau-scie pour le pain ; petit couteau-scie pour les pamplemousses ; couteau à canneler qui permet de prélever le zeste en rubans ; couteau à fromage à la lame incurvée dont la pointe se termine par deux dents.

La queue-de-rat aiguise bien les couteaux, mais il faut de l'habitude. La pierre est plus facile à utiliser. Moi, je me sers d'un aiguise-couteau électrique de qualité professionnelle. C'est inusable, mais l'aiguise-couteau électrique coûte au moins 100 $.

Si l'on veut ménager les lames de ses couteaux, on doit toujours couper les aliments sur une planche en bois ou sur une planche en matière synthétique.

les outils

- **Ciseaux et cisailles:** Une paire de ciseaux bien ordinaires suffit. Une paire de solides cisailles aux pinces en dents de scie est bien utile pour parer les poissons et la volaille. Le sécateur du jardin peut servir de substitut.

- **Cuillères:** Les cuillères en bois ne coûtent presque rien, alors achetez-en une demi-douzaine de toutes les grandeurs et de toutes les formes. Pour battre, mélanger, remuer et surtout pour épargner la batterie de cuisine, rien ne remplace la cuillère en bois.

- **Fouets:** On ne cuisine pas sans fouets. Un grand, un moyen et un petit. Un fouet plat est aussi bien utile pour éliminer les grumeaux d'une sauce et aller au fond des casseroles. On vend des fouets recouverts de plastique pour ne pas abîmer les poêles et cocottes à revêtement antiadhésif, mais ils se détériorent très vite.

- **Louche:** On ne peut se passer d'une bonne vieille louche, comme on ne saurait se passer d'une cuillère trouée du type écumoire.

- **Mortier:** On n'a jamais rien inventé de plus efficace pour réduire les fruits et les épices durs en poudre, l'ail, les baies et les herbes en purée, concasser le poivre, etc. J'en ai de toutes les grandeurs, mais vous pouvez vous contenter d'un seul s'il est de grandeur moyenne et, de préférence, en marbre. Un mortier dure une vie.

- **Moulin à poivre:** Indispensable si l'on aime le poivre. Le poivre déjà moulu est une aberration et ne devrait même pas être vendu sur le marché. S'il n'est pas moulu à mesure, le poivre n'a plus d'arôme. Le meilleur moulin à poivre? Un vieux moulin à café Peugeot. J'utilise le mien depuis près d'un demi-siècle. Il n'a jamais failli à la tâche, de 10 à 12 fois par jour!

Les moulins à poivre pour la table fonctionnent rarement bien. Comme les moulins à sel ou à muscade. Mettez donc sur la table un petit contenant avec du poivre fraîchement concassé. On le cueillera avec ses doigts ou une cuillère minuscule.

- **Pinces:** Utiles, particulièrement celles qui sont en bois et qui ne transmettent pas la chaleur.

- **Planches en bois ou planches synthétiques:** Une ou deux sont essentielles. Les planches en bois, on les lave et on les essuie aussitôt, à moins de vouloir passer son temps à en acheter de nouvelles.

- **Presse-ail:** Indispensable pour ceux qui n'aiment pas vraiment l'ail. J'en ai un que j'utilise quatre fois l'an. Le mortier est cent fois plus utile et, dans presque tous les plats qui réclament de l'ail, on le met émincé finement.

- **Presse-fruits:** Indispensable. Le meilleur, c'est celui qui extrait le plus de jus tout en éliminant les pépins. En plastique, le presse-fruits coûte trois fois rien et il est excellent.

- **Presse-purée:** Indispensable si l'on n'a pas de robot culinaire. Il faut acheter un modèle robuste. Ce qu'on appelle au Québec un « pilon à pommes de terre » est aussi utile pour faire des purées de pommes de terre ou d'autres légumes, à condition de bien s'en servir: uniquement de bas en haut et, une fois les légumes réduits en purée, on termine la purée au fouet ou au robot, s'il ne s'agit pas de pommes de terre.

Quant aux diverses mandolines, une bonne en inox peut être bien utile, indispensable même, si l'on n'a pas de robot culinaire.

- **Râpes :** Le modèle classique à quatre pans dotés de trous de différentes grosseurs est celui qui vous sera le plus utile avec la petite râpe à muscade.
- **Spatules :** Elles sont en bois, en plastique ou en métal. Celles qui sont en plastique assez souple pour pouvoir retourner un aliment et assez rigide pour le supporter sont les plus utiles.
- **Tamis ou chinois :** Pour cuisiner, il en faut au moins trois : un très grand, un moyen et un petit. Achetez-les de bonne qualité, ils dureront plus longtemps.
- **Vide-pomme et dénoyauteurs :** Si l'on ne mange pas de pommes au four, on peut se dispenser d'un vide-pomme, mais c'est plus difficile de ne pas avoir de dénoyauteur si l'on est un mangeur d'olives ou de cerises.

Ai-je besoin d'ajouter qu'il vous faudra, à l'occasion, une grande fourchette en bois ou en métal, un tire-bouchon, un décapsuleur et un ouvre-boîte ? Que vous aurez bien du mal à égoutter vos laitues sans égouttoir, que 2 ou 3 entonnoirs sont toujours utiles ainsi que des grilles pour faire refroidir les pâtisseries et des sous-plats pour ne pas brûler vos comptoirs ou vos tables ?

Un mélangeur de pâte, un grattoir, un tamis et quelques pinceaux à pâtisserie sont presque indispensables. Vous leur trouverez plein d'usages. Enfin, une grande aiguille et de la ficelle finissent toujours par servir.

Je ne vais pas oublier les instruments de mesure et les thermomètres. Les instruments de mesure sont aussi importants pour un cuisinier que pour un pilote d'avion. Si l'on peut seulement finir par s'harmoniser — système métrique, système international, système anglais et américain —, on simplifiera d'autant les instruments de mesure qui sont nécessaires dans la cuisine.

La tasse graduée en verre est l'instrument le plus utile. Celles en plastique sont moins durables, moins lisibles et ne vont pas au micro-ondes. Un jeu de petites cuillères en métal graduées est indispensable. Une balance l'est aussi quand on fait de la pâtisserie. Enfin, il faut au moins un thermomètre pour la haute friture.

les casseroles

Quand il s'agit des casseroles, le problème n'est pas uniquement de savoir lesquelles acheter, il faut encore décider de quel matériau elles seront faites. Essayons d'y aller par élimination.

- **Le cuivre :** J'ai un grand jeu de casseroles de cuivre, mais je ne les recommande pas vraiment aux amateurs, à moins qu'ils en aient les moyens. Le cuivre est le meilleur conducteur de chaleur qui soit, mais même les casseroles dont l'intérieur est en inox s'usent assez vite. Il faut alors les faire étamer, et les endroits qui le font ne sont pas nombreux. Je ne connais qu'un seul bon dinandier et il habite à Bromptonville, Québec, au 412, chemin de la Rivière. C'est M. Denis Lambert, professeur à l'Université de Sherbrooke. À la retraite depuis quelques années, il consacre tout son temps à son hobby de dinandier, appris en Europe. On peut le joindre au (819) 846-3060.

Le cuivre doit être constamment poli pour rester beau (voir tome I, Nettoyage des cuivres, p. 108). Si l'on achète des casseroles de cuivre, il faut les choisir avec un bon manche en fonte, sinon elles sont difficiles à manier, car le manche devient bouillant.

- **L'inox :** L'inox a l'avantage d'être inusable s'il est de bonne qualité. Il conserve son fini et, qu'on y fasse n'importe quoi, jamais il ne réagira aux acides. Par contre, l'inox n'est pas le meilleur conducteur et, si l'on fait ce choix, il faut prendre les casseroles à fond épais dont l'alliage conduit très bien la chaleur.
- **La fonte et l'acier :** Un brin passé de mode, hélas, car c'est bon conducteur de chaleur. Mais inusable seulement si l'on est prêt à entreprendre une lutte perpétuelle contre la rouille. Si j'étais vous, je laisserais ces casseroles à d'autres.
- **La fonte émaillée :** Je possède toutes les casseroles que fabrique Le Creuset. Les poêles aussi, mais je ne les utilise presque plus. Ce matériau est incomparable, mais il faut avoir du bras. Beaucoup de bras, car les casseroles finissent par vous faire des muscles qui feraient pâlir les haltérophiles.

Si l'on veut conserver ses casseroles longtemps – c'est le cas de toutes les casseroles, d'ailleurs –, on ne les nettoie pas avec de la laine d'acier ou autre produit aussi abrasif. On les laisse tremper une nuit, s'il le faut, puis on les nettoie avec douceur. Il ne faut pas non plus les soumettre à une chaleur trop vive et, surtout, ne pas les oublier sur le feu, car l'émail s'écale et il faut le faire refaire. À Montréal, on peut les faire réparer à la Clinique de la casserole, 7577, rue Saint-Hubert au (514) 270-8544. En France, comme elles sont beaucoup moins chères, on les jette et on en achète de nouvelles.

Si l'on aime les plats cuisinés, tous ces plats qui mijotent longuement, les casseroles en fonte émaillée sont un must.

Je suggère donc une batterie de cuisine mixte : inox et fonte émaillée.

les poêles

Il en faut au moins trois : une grande, une moyenne et une petite. Les poêles de bonne qualité, c'est-à-dire au fond épais qui ne se déformera pas, en matière antiadhésive, sont les plus recommandables. Attention, il ne faut pas y travailler avec autre chose que des cuillères en bois et des spatules en plastique ou en caoutchouc.

C'est bien pratique d'avoir une poêle de cuivre ou d'acier inoxydable. Pour faire des sauces, il faut pouvoir utiliser les sucs de viande ou de poisson qui attachent à la poêle et qu'on déglace au vin, à l'eau ou au bouillon. Ce type de poêle peut aussi aller au four, puisqu'elle a un manche de métal.

Et si l'on mange beaucoup de poissons, on se munit d'une poêle à poisson, antiadhésive, oblongue, dans laquelle on pourra poêler des poissons entiers et de longs filets. Et on ne l'utilise pour rien d'autre que du poisson.

Une sauteuse est aussi très pratique. Plus profonde qu'une poêle, elle a des bords droits. Mieux vaut l'acheter sans revêtement antiadhésif, car on a souvent intérêt à ce que certains aliments attachent au fond. Voilà un bon ustensile à se procurer en cuivre.

les plats et les moules

Vous le savez, les magasins en offrent un choix incroyable : de toutes les sortes, de tous les formats, pour toutes les spécialités, mais si vous faites la cuisine en amateur contentez-vous des plats et moules qui suivent :

- quelques plats à gratin de diverses grandeurs ; les oblongs sont les plus utiles ;
- un plat à terrine en verre ou en fonte émaillée ;
- un moule à soufflé. Même si vous ne faites pas de soufflés, ce moule est très utile pour toutes sortes de pâtés (chinois, au poulet et autres) et pour servir des compotes de fruits quand on n'a pas de compotier ;
- un plat allant au four muni d'une grille. Cela permet de maintenir la viande ou la volaille au-dessus de la graisse que fait fondre la cuisson ;
- une plaque à biscuits, si on a l'intention d'en faire ;
- un moule à tarte à fond amovible ;
- un moule à tarte sans fond amovible, en pyrex, de préférence ;

- un ou deux moules à pain de deux grandeurs différentes. Si vous ne faites pas de pain, vous y ferez cuire vos cakes et vos pâtés.

les petits électroménagers

Si vous êtes une personne qui s'adonne vraiment à la cuisine, vous ne pourrez vous passer d'un robot culinaire (le Cuisinart est de loin le meilleur), d'un batteur électrique et d'un mélangeur (*blender*). Si vous faites la cuisine à l'occasion, vous pouvez vous contenter d'un batteur à main et d'une bonne mandoline. Mais vous devrez avoir de l'imagination et utiliser plus d'huile de bras que moi !

Une sorbetière est bien utile, si l'on aime glaces et sorbets. Il y en a maintenant à moins de 100 $. Les meilleures coûtent environ 500 $, mais vous pouvez très bien vous en passer.

Je vous mets en garde contre les machines à pain automatiques qui font de l'assez mauvais pain et dont les acheteurs se lassent bien vite. Même avertissement pour les machines à pâtes. Un gadget devenu inutile maintenant qu'il y a dans le commerce d'excellentes pâtes sèches, la plupart meilleures que les pâtes fraîches qu'on vend dans le commerce.

Voilà l'essentiel de ce que vous aurez besoin pour faire la cuisine. Mais c'est en travaillant dans votre cuisine que vous verrez si certains accessoires ou de l'équipement plus spécialisé pourraient vous être utiles. Alors, de grâce, n'achetez pas trop vite gadgets et accessoires, car vous pourriez bien découvrir que vous les utilisez très rarement. Mais certains sont si tentants…

BETTERAVE

Il y a deux catégories de betteraves : les primeurs qu'on achète avec leurs feuilles qui sont très bonnes à manger, surtout si on les mêle avec des feuilles d'épinards ou de bettes à carde. Les betteraves primeurs cuisent assez vite, plus vite que les bonnes vieilles betteraves d'automne, qui ont un goût de terre. Ce sont pourtant celles que je préfère.

Pour 4 ou 5 $ — je suis sérieux —, on peut en acheter une poche dans n'importe quel marché public et les garder au froid tout l'hiver. À ce prix-là, on peut se permettre de les utiliser de plusieurs façons.

Et parmi celles-ci, tiens, un truc pour surprendre tous vos amis : préparez-leur un riz ou un risotto d'un rosé qu'ils n'auront jamais vu. Faites votre riz ou votre risotto avec l'eau dans laquelle vous aurez fait cuire vos betteraves. Surprise et commentaires garantis !

Faire bouillir les betteraves sans les éplucher et en ne coupant pas les fanes trop courtes de façon qu'elles ne saignent pas. Quand les betteraves sont cuites, mais légèrement al dente, les faire tiédir sous l'eau froide juste assez pour être capable de les éplucher. Dans une grande poêle, faire chauffer à feu vif l'huile de noix et le beurre, ajouter les graines de cumin, déposer les betteraves coupées en tranches d'environ 1 cm (env. 1/2 po) d'épaisseur en une seule rangée et les faire rissoler rapidement. Saupoudrer de sucre, saler légèrement et retourner les tranches de betterave pour les faire rissoler de l'autre côté. Saupoudrer aussitôt d'encore un peu de sel et de poivre. Parsemer des morceaux d'ail. Dès que les tranches sont rissolées, déglacer au vinaigre. Servir dans des assiettes chaudes en parsemant des graines de cumin et en arrosant de quelques gouttes d'huile de noisette ou d'huile d'olive.

betteraves aux graines de cumin

POUR 2 PERSONNES

4 betteraves moyennes

1 c. à soupe d'huile de noix

2 c. à soupe de beurre

1 c. à soupe de graines de cumin

1 c. à café (1 c. à thé) de sucre

Sel et poivre du moulin

1 gousse d'ail hachée finement

1 c. à soupe de vinaigre de cassis ou de framboise

1 c. à soupe d'huile de noisette ou d'huile d'olive extra-vierge

betteraves sautées

POUR 2 PERSONNES

4 betteraves fraîches

2 c. à soupe d'huile d'olive

Environ 1 c. à soupe de graines de cumin

Sel et poivre du moulin

1 gousse d'ail hachée finement

2 c. à soupe de vinaigre de cassis ou de framboise

1 c. à café (1 c. à thé) d'huile de noisette ou de noix

Une noix de beurre

Muscade fraîchement râpée

Un petit bouquet de persil haché finement

Faire bouillir les betteraves jusqu'à ce qu'elles soient al dente. Les refroidir rapidement dans l'eau, puis les éplucher. Les couper en rondelles assez épaisses, d'environ 1 cm (env. $1/2$ po) et réserver.

Dans une grande poêle, faire chauffer l'huile d'olive à feu assez vif, ajouter les graines de cumin, faire cuire 1 min, puis ajouter les rondelles de betterave. Faire dorer d'un côté, puis les retourner. Saler et poivrer. Après 2 ou 3 min, ajouter l'ail, puis déglacer au vinaigre. Ajouter l'huile de noisette ou de noix et le beurre. Remuer légèrement jusqu'à ce que le beurre fonde et que la sauce soit plus épaisse. Bien saupoudrer de muscade et de persil haché.

Servir tel quel comme entrée ou comme plat d'accompagnement d'une viande. Dans ce cas, toutefois, servir dans de petites assiettes pour que les betteraves ne colorent pas le plat.

BIGORNEAUX

Bigorneaux et bulots sont des coquillages qui se ressemblent. L'un et l'autre sont vraiment les fruits de mer du pauvre, c'est-à-dire qu'ils ne coûtent presque rien, même s'ils sont délicieux. Les bulots, très populaires en France, sont pêchés en casiers ou à la drague, tandis que nos bigorneaux sont cueillis à marée basse.

Leur cuisson demande du doigté. Pas tout à fait assez cuits, ils sont caoutchouteux, trop cuits, ils le sont encore plus. En cela, ils ressemblent un peu aux calmars qui doivent être cuits juste à point.

De toute manière, dans nos poissonneries, il est à peu près impossible d'en trouver des vivants, alors pas de problème de cuisson. Ils sont déjà cuits. Gardés en saumure ou dans le vinaigre. Fuyez ceux qui sont conservés dans le vinaigre : ils ne goûtent plus que le vinaigre. Les autres sont fort acceptables pour peu qu'on les rince abondamment afin de les débarrasser de leur trop fort goût de sel.

En entrée ou en salade, ils sont délicieux.

En salade, il y a deux façons de les préparer : avec une mayonnaise maison (voir tome I, p. 237) additionnée d'environ 2 c. à soupe de câpres bien rincées, elles aussi.

Ils sont tout aussi délicieux apprêtés seulement avec un peu d'oignon cru tranché en fines rondelles, quelques câpres, de l'huile d'olive vierge et du jus de citron. Saupoudrés de piment d'Espelette, les voilà encore plus goûteux.

Si vous en avez déniché des frais et que vous souhaitez les faire cuire vous-mêmes, sachez que vous aurez intérêt à les faire dégorger dans de l'eau salée pour les débarrasser du sable qu'ils peuvent contenir. Cuisez-les ensuite environ 6 min dans un court-bouillon très bien assaisonné (de l'eau, un peu d'huile d'olive, du thym, du laurier et du poivre), car ces fruits de mer sont un peu fades.

BISCUITS

Je ne fais pas souvent de biscuits. Je laisse ça à Maryse qui adore en faire. Je suis, par contre, assez content de cette recette que j'ai mise au point à Paris par un après-midi d'hiver où j'avais le goût de cuisiner un peu.

biscuits aux noix de Grenoble

Ces biscuits au bon goût de noix feront les délices des petits et des grands.

DONNE 12 À 18 BISCUITS

160 g (1 ¼ tasse) de farine tout usage

50 g (¼ tasse) de noix de Grenoble en poudre

75 g (½ tasse) de semoule

115 g (½ tasse) de beurre doux

105 g (½ tasse) de sucre

2 c. à soupe de lait entier

1 jaune d'œuf

1 c. à soupe de sucre à glacer

2 c. à soupe de confiture de framboises

Mettre tous ces ingrédients dans le robot culinaire, sauf le sucre à glacer et la confiture de framboises, jusqu'à ce qu'une boule se forme. Séparer la boule en 2 parties, placer la première boule de pâte sur un papier ciré et recouvrir d'une feuille de pellicule plastique étirable avant de l'abaisser avec un rouleau à pâtisserie. Faire de même avec la deuxième boule. Mettre la pâte au frigo de 1 à 2 h.

Préchauffer le four à 180 °C (350 °F).

Sortir la pâte du frigo, l'étendre sur le comptoir et, avec un emporte-pièce (ou un verre à boire), découper des rondelles. Les déposer sur une plaque à biscuits beurrée ou recouverte d'un papier sulfurisé. Cuire au four de 15 à 20 min ou jusqu'à ce que les biscuits soient bien dorés.

Sortir du four, saupoudrer de sucre à glacer et mettre un peu de confiture de framboises au centre de chaque biscuit avec une petite cuillère.

Laisser refroidir. Conserver dans un bocal hermétique.

BŒUF

Je ne suis pas un mangeur de bœuf, je l'ai répété souvent. J'en mange peut-être une fois par deux ou trois mois, pas plus. Mais j'ai pensé vous offrir deux classiques, la bavette, coupe tout à fait savoureuse, et ma version du célèbre steak au poivre.

 ### bavette ou onglet à l'échalote

La bavette et l'onglet sont deux termes pour désigner des tranches de bœuf prises dans le flanc de la bête. En général, la bavette est plus épaisse que l'onglet et coupée dans le sens contraire aux fibres de la viande.

Il n'est plus très facile de se procurer cette coupe de steak d'une saveur fabuleuse, car les bouchers des supermarchés utilisent le flanc pour faire de la viande hachée. Mais le feraient-ils si plus de consommateurs demandaient de la bavette ou de l'onglet au comptoir ?

POUR 2 PERSONNES

180 ml (¾ tasse) de vin rouge ou de vin blanc

Poivre du moulin

Une pincée de muscade

2 tranches de bavette ou d'onglet

1 à 2 c. à soupe d'huile d'olive ou d'huile
   de tournesol ou de beurre
3 c. à soupe de brandy
2 échalotes émincées finement
4 à 5 noisettes de beurre
Sel au goût

Mettre le vin rouge (on peut aussi utiliser du
vin blanc, mais c'est moins goûteux) dans
un plat assez grand pour contenir les
steaks, ajouter le poivre et la pincée de
muscade, puis les steaks. Les faire mariner
de 4 à 6 h au frigo.

   Les sortir au moins de 1 à 2 h avant de
les faire cuire.

   Mettre de l'huile ou du beurre dans une
poêle et cuire rapidement les steaks (quelques
minutes à peine). Arroser du brandy, laisser
évaporer 1 min, puis réserver les steaks au
chaud dans des assiettes déjà chaudes.

   Mettre les échalotes dans la poêle, puis
y verser le vin de la marinade. Faire chauffer
et cuire rapidement jusqu'à ce que les
échalotes soient un peu plus tendres.

   Incorporer alors les noisettes de beurre
en remuant vivement avec un fouet afin
que la sauce épaississe. Saler et napper
immédiatement les steaks de cette sauce.

   Avec le steak de bavette ou l'onglet, on
sert idéalement des frites, mais on peut
aussi les accompagner de pommes de terre
nature ou d'une purée.

steak au poivre
POUR 2 PERSONNES

2 filets mignons de 3 cm (un bon pouce)
   d'épaisseur
160 ml (2/3 tasse) de crème épaisse
3 c. à soupe d'huile d'olive
2 c. à soupe de poivre noir grossièrement
   concassé
1 échalote française hachée
1 gousse d'ail hachée finement
1 petit verre de cognac ou de brandy
60 ml (1/4 tasse) de bouillon
1 c. à café (1 c. à thé) de sauce à brunir
   ou de sauce Kitchen Bouquet
1 c. à soupe de beurre
Sel

Sortir les steaks du frigo et les laisser à
température de la pièce au moins 3 h, faire
de même pour la crème et la laisser à
température de la pièce au moins 1 h.

   Pendant la dernière heure, enduire les
deux côtés des steaks des deux tiers de l'huile
d'olive. Y verser du poivre concassé et tapoter
la viande pour que le poivre y adhère bien.

   Hacher finement l'échalote. Mettre le
reste de l'huile dans une poêle de grandeur
moyenne et y faire revenir l'échalote quelques
minutes jusqu'à ce qu'elle commence à brunir.
Ajouter l'ail et cuire environ 1 min. Augmenter
le feu au maximum, verser le brandy ou le
cognac et chauffer 1 min pour que l'alcool
s'évapore. Ajouter le bouillon et le laisser
réduire de moitié. Hors du feu, ajouter la
crème, la sauce à brunir et le beurre, saler
légèrement, puis mélanger. Remettre à feu

assez vif et laisser réduire d'au moins la moitié en brassant de temps à autre.

Dans les dernières minutes, faire griller les steaks à feu très vif dans une poêle en fonte à fond strié, de 2 à 3 min de chaque côté ou un peu plus si l'on souhaite une viande à point. Saler à la fin seulement.

Mettre les steaks dans des assiettes très chaudes, les napper de la sauce et garnir de frites fraîches.

BORTSCH

Si votre femme est jeune et jolie, faites-lui croire que ce bortsch à la Doukhobor est infiniment plus goûteux si elle le prépare flambant nue... C'est mon amie Claudette Picard qui me l'a fait connaître. Étant donné ses fonctions de magistrat à la Cour supérieure, elle le prépare tout habillée et il n'en est pas moins bon. C'est le plat idéal pour les végétariens purs et durs, puisqu'il se fait sans bouillon de viande.

 ### bortsch à la Doukhobor
POUR 10 À 12 PERSONNES

115 g (1/2 tasse) de beurre
2 oignons hachés
6 tomates pelées et épépinées
70 g (1/2 tasse) de poivron vert coupé
en dés
25 g (1/2 tasse) d'aneth ou de feuilles de
fenouil hachées finement
960 g (8 tasses) de chou haché
ou râpé
3 litres (12 tasses) d'eau
Une grosse pincée de sel

8 pommes de terre pelées et coupées en
gros morceaux
65 g (1/2 tasse) de carottes coupées en dés
180 g (1 tasse) de betteraves coupées
en dés
500 ml (2 tasses) de jus de tomate
125 à 160 ml (1/2 à 2/3 tasse) de crème
épaisse
Poivre du moulin
1/2 c. à café (1/2 c. à thé) de cumin en poudre
Crème sure ou yogourt avec de l'aneth ou
des feuilles de fenouil pour la décoration

Faire fondre le beurre dans une grande casserole, ajouter les oignons et faire suer pendant au moins 5 min. Ajouter les tomates, le poivron, l'aneth ou le fenouil, et le chou. Cuire à feu moyen pendant 30 min en remuant à l'occasion.

Dans une autre casserole, verser l'eau et ajouter le sel. Porter à ébullition. Ajouter les pommes de terre, les carottes et les betteraves, puis porter de nouveau à ébullition. Ajouter le jus de tomate et faire mijoter jusqu'à ce que les pommes de terre soient cuites. Les retirer du liquide et les mettre en purée avec la crème chaude. Quand les betteraves sont cuites, verser ce mélange dans la première casserole, puis épaissir le liquide avec la purée de pommes de terre. Saler, poivrer et mettre du cumin.

Avant de servir, faire chauffer, puis déposer dans chaque assiette une généreuse cuillerée de crème sure ou de yogourt, décorée de quelques brindilles d'aneth ou de feuilles de fenouil.

BROCOLI

Le brocoli fait partie des légumes mal aimés et martyrisés : il est toujours trop cuit et on a tendance à ne servir que les bouquets qui en constituent la partie la moins savoureuse. Enfin, on ne l'épluche jamais. Et pour rachever le plat, on ne l'assaisonne pas ou on l'assaisonne mal.

Et souvent, pour couronner tout ça, on ne l'achète pas frais. Mais comment voir si le brocoli est frais ? Facile : les bouquets doivent être compacts et d'un beau vert. S'ils ont commencé à jaunir, laissez-les aux autres ! Les tiges doivent être cassantes. Si elles plient sans casser, c'est que le brocoli est flétri.

Et ces maudits élastiques dont on entoure les bouquets, qui contribuent à les faire pourrir !

Le brocoli est plein de vertus : sans calories, dépourvu de lipides, acides gras dont il ne faut jamais abuser, peu de protides (acides aminés), mais beaucoup de glucides qui donnent de l'énergie. C'est l'un des légumes les plus riches en sels minéraux et qui contient, notamment, du sulphoraphane, une substance qui stimule les enzymes. Il paraît qu'il est très efficace contre le cancer du côlon.

On épluche le brocoli. D'abord, parce que les tiges deviennent alors beaucoup plus tendres à la cuisson. Elles cuiront plus vite aussi, si bien que les fleurs ne seront pas trop cuites.

Vous ne mangez pas les tiges ? C'est bien votre droit, même si vous manquez ainsi la meilleure partie du brocoli. De grâce, ne les jetez pas, faites-en une crème.

 brocoli aux copeaux de parmesan

POUR 4 PERSONNES

2 bouquets de brocoli bien frais
Environ 60 g (½ tasse) de gros copeaux de parmesan frais
4 c. à soupe d'huile d'olive ou de tournesol
Quelques gouttes de vinaigre balsamique
Sel au goût
1 à 2 c. à soupe de jus de citron
Poivre du moulin

Raccourcir d'environ 0,5 cm (¼ po) l'extrémité de chaque tige de brocoli, couper chacune des tiges en 3 ou 4 branches, enlever les petites feuilles s'il y en a, puis peler au mieux chaque tige avec un couteau économe.

Faire cuire à la marguerite ou, encore mieux, dans une marmite à asperges pour que les bouquets, qui cuisent plus vite, soient plus loin de la source de chaleur. Faire cuire obligatoirement al dente. Mieux vaut les avoir moins cuits que trop.

Pendant la cuisson du brocoli (entre 5 et 7 min), préparer de gros copeaux de parmesan avec un couteau économe et les réserver. Quand le brocoli est cuit, déposer chaque tige sur trois ou quatre épaisseurs de papier essuie-tout.

Dans une grande poêle ou une sauteuse, faire chauffer 3 c. à soupe d'huile à feu vif. Dès que l'huile est chaude, y déposer les tiges de brocoli du côté le plus rond, les faire dorer environ 2 min, puis, avec deux fourchettes, les tourner du côté plat. Réduire le feu de moitié. Pendant que les tiges dorent de l'autre côté, y déposer les copeaux de parmesan, puis y verser 2 ou 3 gouttes de vinaigre balsamique. Saler au goût, mais pas trop, car le parmesan est déjà salé. Dès que les tiges sont dorées et que le parmesan a commencé à fondre, répartir le brocoli dans des assiettes chaudes. Verser sur chaque bouquet un peu de jus de citron et l'huile qui reste, puis parsemer de poivre du moulin.

Servir comme entrée, comme plat principal, si l'on veut un plat végétarien, ou comme accompagnement d'une viande.

brocoli poêlé

POUR 4 PERSONNES

1 beau brocoli bien vert

4 c. à soupe d'un mélange d'huile de noix et d'huile de noisette

12 copeaux de parmesan

1 grosse gousse d'ail émincée en fines lamelles

Le jus de 1/4 de citron

1 c. à soupe de vinaigre japonais

Quelques gouttes de vinaigre balsamique

Sel et poivre du moulin

Éplucher le pied du brocoli, bien le débarrasser de ses petites feuilles et le couper en 4. Le cuire à la vapeur de 8 à 10 min ou jusqu'à ce qu'il soit al dente.

Déposer les 4 morceaux de brocoli sur une serviette ou sur quelques épaisseurs de papier essuie-tout. Mettre la moitié de l'huile dans une poêle à feu assez vif. Quand l'huile est chaude, y déposer les morceaux de brocoli du côté des bouquets. Quelques minutes plus tard, retourner le brocoli et le laisser ainsi de 3 à 4 min. Dans les deux dernières minutes de cuisson, disposer sur le brocoli les copeaux de parmesan et les lamelles d'ail (s'il en tombe dans la poêle, c'est même préférable). Quand le parmesan est à peu près fondu, arroser le brocoli du reste de l'huile et du jus de citron, du vinaigre japonais et du vinaigre balsamique. Saler et poivrer. Servir immédiatement comme entrée dans des assiettes chaudes.

crème de brocoli

DONNE ENVIRON 2 LITRES (8 TASSES)

Faire cuire des tiges de brocoli dans environ 1,5 litre (6 tasses) de bouillon de poulet avec une petite poignée de riz. Saler et poivrer au goût.

Quand les tiges sont bien cuites, passer au mélangeur, puis au chinois. Laisser tiédir. Ajouter 1 blanc d'œuf battu en neige ou 125 ml (1/2 tasse) de crème épaisse, faire chauffer sans faire bouillir, puis servir avec des croûtons.

Miam-miam…

Calmar

Caviar

Céleri

Céréales

Champignon

Chocolat

Chop suey

Choucroute

Chutney

Citrouille

Colin

Concombre

Coq au vin

Couteau

Crème glacée

Crevette

CALMAR

Les calmars sont de grands oubliés chez nous. Plusieurs poissonneries hésitent même à en garder, tellement la clientèle s'y intéresse peu, à part les Grecs et les Italiens qui en sont friands.

Quel dommage ! Les calmars sont un délice, surtout les plus petits, bien frais, et qui sentent encore la mer. Quand on les achète, on peut aisément les cuisiner pour le lendemain ou même le surlendemain. Ils n'en seront que meilleurs. Frais, ils ne se conservent pas très longtemps. Si vous ne les cuisinez pas sur-le-champ, gardez-les au frigo dans de la glace.

Le seul problème des calmars : une cuisson délicate. Trop cuits, ils sont durs, et pas assez cuits, ils sont durs aussi. Il ne faut pas hésiter à en soutirer un morceau pour y goûter en cours de cuisson.

 calmars soleil
POUR 4 PERSONNES

600 g (env. 1 1/4 lb) de calmars bien frais

3 c. à soupe d'huile d'olive

3 c. à soupe d'huile de noix

1 oignon jaune coupé en rondelles
     assez fines

1 poivron vert coupé en rondelles
     assez fines

1 poivron jaune coupé en rondelles
     assez fines

Le zeste de 1 citron coupé en fine julienne

3 gousses d'ail coupées en fines lamelles

Une pincée de piment d'Espelette séché ou
     1 petit piment oiseau haché fin
     (facultatif)

Sel

125 ml (1/2 tasse) de vermouth blanc extra-dry

1 c. à soupe comble de pâte de tomate

2 tomates pelées, épépinées et coupées en
     rondelles

6 à 7 feuilles de basilic frais grossièrement
     hachées

6 à 7 feuilles de menthe fraîche grossièrement
     hachées

Poivre du moulin

Bien laver les calmars, les couper en rondelles et les assécher dans une serviette. Dans une cocotte assez grande pour tout contenir, faire chauffer à feu moyen les huiles et y faire attendrir à découvert les rondelles d'oignon. Ajouter ensuite les rondelles de poivron et continuer à cuire à feu moyen en mélangeant doucement de temps à autre. Quand le poivron est bien attendri, ajouter le zeste de citron, l'ail, le piment d'Espelette ou le piment oiseau, si désiré, ainsi que le

sel et le vermouth dans lequel on a mélangé la pâte de tomate. Cuire à feu doux et à couvert environ 10 min. Ajouter les rondelles de tomate, découvrir et cuire de 5 à 10 min en mélangeant doucement pour ne pas briser les légumes. Quand les tomates sont bien chaudes mais pas encore cuites, monter le feu et ajouter les rondelles de calmar ainsi que le basilic, la menthe et le poivre. Faire cuire 8 min, pas plus, et servir immédiatement dans des assiettes à soupe très chaudes.

On peut retirer du feu après 6 min, faire refroidir et garder au frigo jusqu'au lendemain. Bien avant de servir, remettre alors les calmars à feu moyen et cuire à découvert jusqu'à ce que le tout frémisse. En général, ces calmars soleil sont meilleurs s'ils ont passé la nuit au frigo.

CAVIAR

Je sais que les caviars d'Iran et de Russie sont de plus en plus chers et qu'il s'agit de mets de riches. Mais il ne faut pas lever le nez sur notre caviar, celui qu'on prépare sur les bords du lac Abitibi. Il est on ne peut plus inégal, tantôt vaseux, tantôt plus près d'une purée poisseuse que du caviar qu'on aime, mais il faut courir le risque. De temps à autre, vous tomberez sur un bocal qui sera excellent et les autres fois, vous le mangerez quand même avec un certain plaisir.

Il n'est pas donné non plus. À peu près 150 $ pour 170 à 225 g (6 à 8 oz), mais c'est une aubaine, comparativement au caviar d'Iran ou de Russie, qui n'est pas toujours extraordinaire non plus.

Notre caviar est fort acceptable si on ne tente pas de s'en régaler comme on le ferait du caviar étranger. Voici deux recettes où le caviar, même ordinaire, vous ravira.

galettes panachées au caviar et au saumon fumé
POUR 4 À 6 PERSONNES

les galettes de pommes de terre
450 g (1 lb) de pommes de terre
1 oignon rouge de grosseur moyenne
2 jaunes d'œufs
Sel, poivre et muscade
Huile pour la cuisson

la garniture
Des œufs de caille
Du caviar
De la crème épaisse
Du saumon fumé
Du poivre rose

les galettes de pommes de terre
Peler les pommes de terre, les laver, puis les râper. Les déposer sur une serviette et en éponger le maximum d'eau. Les mettre dans un grand bol. Râper l'oignon, ajouter l'oignon râpé aux pommes de terre et mélanger. Battre les deux jaunes d'œufs et bien mélanger avec les pommes de terre. Ajouter sel, poivre et muscade.

Faire des boulettes, puis les aplatir un peu. Dans une poêle, faire revenir les boulettes dans de l'huile bien chaude, environ 10 min de chaque côté. Placer dans une lèchefrite couverte de deux ou trois épaisseurs de papier essuie-tout et garder au chaud.

la garniture

Faire cuire au miroir des œufs de caille. En calculer un par personne.

Servir dans chaque assiette une galette couronnée d'un œuf de caille et d'une grosse cuillerée de caviar, puis une autre garnie de crème épaisse sur laquelle est disposée une tranche très mince de saumon fumé en forme de fleur. Décorer l'assiette avec du poivre rose.

pétales de pétoncle panachés de caviar

POUR 4 PERSONNES

2 c. à soupe d'huile d'olive
2 c. à soupe d'huile de noisette
2 c. à soupe d'huile de tournesol
2 c. à soupe de jus de citron
20 gros pétoncles très frais
60 à 75 g (2 à 2 ½ oz) de caviar d'esturgeon
Poivre rose grossièrement moulu
Un petit bouquet de coriandre bien fraîche
Un petit bouquet de persil frais

Dans un bol, verser les huiles et le jus de citron, mais ne pas mélanger. Réserver. Bien rincer les pétoncles, puis les assécher dans une serviette. À l'aide d'un couteau bien aiguisé, couper chaque pétoncle en 4 tranches (3 s'ils sont plus petits) minces de même épaisseur. Passer chaque tranche dans le bol contenant les huiles et déposer les tranches dans une assiette. Composer

ainsi toutes les assiettes en disposant les pétales de pétoncle en cercle. Quand toutes les assiettes sont garnies, déposer au centre de chaque pétale quelques grains de caviar, à l'aide d'une petite cuillère. Parsemer les assiettes de poivre rose et des herbes. Servir immédiatement avec du vin d'Alsace bien frais.

CÉLERI

Au Québec, on a depuis longtemps l'habitude de servir des branches de céleri à l'apéro. Ce n'est ni original ni bien agréable. D'autant plus qu'on ne prend pas la peine de peler le céleri (côté fibres).

Le céleri est un merveilleux légume d'accompagnement, on l'oublie trop souvent. Il est bon à consommer toute l'année et se conserve très bien au frigo. Il n'a pas son pareil pour accompagner le poulet, la pintade ou le veau.

Mais pelez-le, de grâce !

céleri braisé

POUR 4 PERSONNES

1 pied de céleri
2 c. à soupe d'huile d'olive vierge
1 c. à soupe d'huile de noix ou de noisette
Une noix de beurre
2 c. à soupe de vermouth blanc extra-dry
6 baies de genièvre grossièrement écrasées
Sel et poivre du moulin

Préchauffer le four à 160 °C (325 °F).

Couper le céleri en morceaux d'environ 10 cm (4 po), les peler avec un couteau économe du côté convexe afin d'en enlever les fils, puis les laver avec soin. Étendre le céleri dans un plat à gratin (ne pas mettre plus de 2 ou 3 couches de céleri), ajouter tous les autres ingrédients et faire chauffer sur le poêle jusqu'à ce que l'huile mijote. Couvrir d'un papier d'aluminium et cuire au four environ 1 h ou jusqu'à ce que le céleri soit al dente. Servir comme accompagnement de la plupart des viandes.

CÉRÉALES

Maryse et moi, nous avons fait plusieurs essais de céréales santé. Comme tout le monde, périodiquement, on se dit qu'il faut mieux se nourrir et on cherche de nouvelles façons d'y arriver. Un soir que je regardais l'émission de cuisine animée par Josée di Stasio, elle et son invité ont donné une recette de céréales qui m'a semblé bien appétissante. Nous l'avons faite une fois, puis je me suis appliqué à la rendre plus goûteuse et encore plus étonnante. Voici le résultat final d'une suite d'essais.

céréales santé

DONNE 2 LITRES (8 TASSES)

160 ml (²/3 tasse) de sirop d'érable ou de sirop de maïs ou de miel

80 ml (¹/3 tasse) d'huile de noix et de noisette mélangées ou d'huile d'olive vierge

2 c. à café (2 c. à thé) d'essence de vanille

1 c. à café (1 c. à thé) d'essence d'amande

1 c. à café (1 c. à thé) d'essence de cannelle

¹/2 c. à café (¹/2 c. à thé) d'essence d'anis étoilé

¹/3 de noix de muscade fraîchement moulu

¹/2 c. à café (¹/2 c. à thé) de gingembre moulu

1 c. à café (1 c. à thé) de fleur de sel ou ¹/2 c. à café (¹/2 c. à thé) de sel fin

240 g (3 tasses) de farine d'avoine

115 g (1 tasse) de germe de blé

45 g (¹/2 tasse) d'amandes blanchies coupées en julienne ou d'amandes blanchies effilées

60 g (¹/2 tasse) de noisettes pulvérisées

les fruits séchés

75 g (¹/2 tasse) de raisins secs dorés

65 g (¹/2 tasse) de raisins de Corinthe

4 figues ou 4 dattes séchées hachées finement

80 g (¹/2 tasse) d'ananas séché haché finement

60 g (¹/2 tasse) de canneberges séchées

45 g (¹/4 tasse) de mangue séchée hachée finement (facultatif)

45 g (¹/4 tasse) de papaye séchée hachée finement (facultatif)

2 c. à soupe de gingembre confit haché finement (facultatif) (éliminer alors le gingembre moulu)

Faire chauffer le sirop d'érable, le sirop de maïs, ou le miel, avec l'huile, les essences, la muscade, le gingembre et le sel jusqu'à ce qu'ils soient bien incorporés, soit environ 2 min au micro-ondes. Dans un grand bol, mélanger farine d'avoine, germe de blé, amandes et noisettes, ajouter le liquide chaud et bien mélanger avec les mains ou avec deux fourchettes.

Couvrir une grande lèchefrite d'un papier sulfurisé, y étendre le mélange et faire chauffer au centre du four à 120 °C (250 °F) environ 1 h en remuant avec une fourchette toutes les 15 min.

les fruits séchés

Pendant la cuisson, mélanger les raisins, les figues, ou les dattes, l'ananas et les canneberges. Si désiré, ajouter de la mangue et de la papaye séchées ainsi que du gingembre confit.

la présentation

Laisser refroidir les céréales, les mettre dans un grand bol et les mélanger avec les fruits séchés. On peut manger les céréales avec du lait en y ajoutant des fruits frais, au goût, ou les manger telles quelles.

Note : Garder au sec dans un grand bocal hermétique.

CHAMPIGNON

On peut se procurer les champignons blancs, qu'on appelle en France les champignons de Paris, toute l'année. Cuits ou crus, ils sont délicieux, pourvu qu'on les assaisonne bien, car ils n'ont pas beaucoup de goût.

Voici une entrée que vous pouvez faire à la dernière minute, mais, attention, elle requiert des champignons bien frais. Ne vous y risquez pas avec des champignons qui ont passé la semaine au frigo.

 ## salade de champignons crus au piment d'Espelette

POUR 2 PERSONNES

5 à 8 gros champignons de Paris
  bien frais
2 c. à soupe de crème sure
60 ml (1/4 tasse) de crème à fouetter
Sel au goût
1/4 à 1/2 c. à café (1/4 à 1/2 c. à thé) de
  piment d'Espelette séché
1 c. à soupe de ciboulette fraîche, hachée
1 c. à soupe d'estragon frais, haché
1 c. à soupe de jus de citron
6 à 8 feuilles de menthe fraîche, hachées

Brosser les champignons et réserver. Dans un bol à salade, mettre tous les autres ingrédients, puis émulsionner avec une fourchette ou un petit fouet. Trancher les champignons en lamelles très minces, les mettre dans le bol et bien mouiller de la sauce sans casser les lamelles de champignon. Le mieux, c'est de le faire avec ses mains.

Servir immédiatement comme entrée.

CHOCOLAT

Vous ne trouverez dans aucun de mes livres beaucoup de recettes utilisant du chocolat. Je n'aime que le chocolat noir et je déteste les fondues au chocolat. Mais je suis prêt à faire la recette qui suit. De temps à autre. Disons une fois par année !

délice au chocolat

Je tiens de chez Sonoma, à New York, la recette de ce délice au chocolat qui ravira même le plus difficile de vos invités... à condition qu'il ne soit pas allergique aux noix... Quant au chocolat, je ne connais personne qui le soit.

POUR 4 PERSONNES

Beurre et farine pour le moule
140 g (5 oz) de chocolat mi-sucré
6 c. à soupe de beurre non salé
105 g (1/2 tasse) de sucre
2 c. à soupe de liqueur de noix ou de noisette
60 g (1/2 tasse) d'avelines ou de noisettes hachées assez finement
3 gros œufs, jaunes et blancs séparés
Poudre de cacao
Fraises ou framboises fraîches ou coulis

Préchauffer le four à 150 °C (300 °F).

Beurrer et enfariner un moule à gâteau assez plat de 23 à 25 cm (9 à 10 po) de diamètre, un moule à fond amovible.

Dans le haut d'un bain-marie, faire fondre le chocolat, le beurre et le sucre en brassant légèrement jusqu'à ce que le tout soit bien lisse. Retirer du feu et bien incorporer la liqueur de noix ou de noisette ainsi que les avelines ou les noisettes. Laisser tiédir au moins 5 min. Quand le mélange est à peu près à température de la pièce, incorporer un à un les jaunes d'œufs déjà battus. Réserver. Dans un cul-de-poule, monter les blancs d'œufs en neige jusqu'à ce qu'ils fassent des pics fermes. Mélanger le tiers des blancs d'œufs battus avec le mélange de chocolat, puis incorporer le reste à la spatule jusqu'à ce que le mélange soit homogène.

Verser le mélange dans le moule à gâteau et faire cuire environ 30 à 35 min jusqu'à ce que le cure-dent qu'on y insère en sorte sec.

Faire refroidir le gâteau sur une grille. Lorsqu'il est froid, le démouler et le glisser dans une assiette de service. Servir après l'avoir généreusement saupoudré de poudre de cacao, puis garnir chaque assiette de fraises ou de framboises fraîches ou de coulis de fraises ou de framboises.

CHOP SUEY

Les plus âgés se rappelleront qu'il fut une époque — particulièrement durant la grande crise économique et au cours de la Deuxième Guerre mondiale — où nos bonnes mères faisaient ce qu'elles appelaient du «chop suey», plusieurs fois par mois. Ça ne coûtait rien et ça changeait des pommes de terre «pilées», du saucisson de Bologne et du pâté chinois.

C'est toujours en pensant à mon enfance que je fais la recette suivante. Ce n'est pas mauvais du tout. Essayez pour voir.

chop suey aux arachides et aux pignons

POUR 4 PERSONNES

40 g (1/4 tasse) d'arachides nature
40 g (1/4 tasse) de pignons
8 champignons shiitake séchés

60 ml (¼ tasse) d'huile d'olive et d'huile de
 tournesol mélangées

1 oignon jaune coupé en fines
 rondelles

1 petit piment fort

600 g (env. 1 ¼ lb) de chevreau ou d'agneau
 ou encore de bœuf haché maigre

Sel et poivre du moulin

Une pincée d'herbes de Provence

2 gousses d'ail émincées

3 c. à soupe de brandy (facultatif)

Environ 1 kg (2 ¼ lb) de germes de haricot
 bien frais

L'eau dans laquelle les champignons ont
 été réhydratés

60 ml (¼ tasse) de vermouth blanc extra-dry
 (facultatif)

Environ 60 ml (¼ tasse) de sauce tamari
 (soya)

Préchauffer le four à *broil*.

Faire rôtir arachides et pignons sous le gril et réserver. Réhydrater les champignons dans l'eau. Lorsque les champignons sont bien réhydratés, passer l'eau dans une passoire au fond de laquelle on a mis une couche de papier essuie-tout, puis laver les champignons à l'eau courante. Couper les tiges et les jeter. Trancher ensuite les têtes en lamelles fines et réserver.

Mettre environ le tiers de l'huile dans une sauteuse et, à feu assez vif, y faire dorer les champignons et les rondelles d'oignon jusqu'à ce que ces dernières soient tendres. Ajouter le piment et la viande hachée. Saler et poivrer. Travailler la viande hachée avec deux fourchettes pour qu'elle ne fasse pas de grumeaux. Lorsqu'elle a commencé à perdre sa couleur rouge, ajouter les herbes de Provence et l'ail et continuer à cuire tout en travaillant avec les fourchettes. Quand la viande est cuite à point, ajouter les arachides et les pignons, puis le brandy, si désiré. Laisser l'alcool s'évaporer. Réserver dans un plat de service assez profond et garder au chaud.

Mettre le reste de l'huile dans la sauteuse et faire chauffer à feu vif. Y verser les germes de haricot sans les laver. Avec deux spatules, remuer les germes de haricot, puis, au bout de quelques minutes, ajouter l'eau des champignons, le vermouth (qu'on peut remplacer par une quantité égale d'eau) ainsi que la sauce tamari. Saler et poivrer. Attention, la sauce tamari est déjà très salée. Continuer à cuire tout en remuant. Quand les germes de haricot sont cuits (il doit rester un peu de bouillon, sinon ajouter un peu d'eau), mettre le mélange de viande réservé dans la sauteuse et mélanger. Remettre le tout dans le plat de service.

Servir immédiatement dans des assiettes chaudes sans autre accompagnement.

CHOUCROUTE

Qu'on soit en Allemagne, en France ou en Belgique, chaque région se targue d'avoir la vraie recette de la choucroute. Pour les Allemands et les Belges, la choucroute se cuit à la bière et se mange bien arrosée de... bière. Mais si l'on est Alsacien, on n'imagine pas une choucroute sans vin du pays, un riesling de préférence, et on ne la mange surtout pas autrement qu'en buvant du vin.

Quant à moi, la choucroute se fait au vermouth extra-dry qui lui enlève beaucoup d'acidité et se boit avec un vin blanc, un riesling ou un gewurtztraminer.

Voici donc la choucroute que je fais depuis des années et qui me vaut toujours les plus agréables compliments.

choucroute à ma façon

POUR 10 À 12 PERSONNES

2,5 kg (5 1/2 lb) de choucroute ou 3 boîtes de 850 ml (30 oz) chacune

Le zeste de 1 citron coupé en julienne

400 g (14 oz) de lard entrelardé fumé, coupé en lardons

8 c. à soupe de gras de canard ou d'oie ou, à défaut, 8 c. à soupe d'huile d'olive

130 g (1 tasse) de carottes en rondelles de 0,5 cm (1/4 po)

230 g (1 1/2 tasse) d'oignons en rondelles minces

3 gousses d'ail hachées finement

30 g (1/2 tasse) de persil haché

3 feuilles de laurier broyées ou hachées

15 à 18 grains de poivre

25 baies de genièvre

Quelques pincées de sel

Environ 500 ml (2 tasses) de vermouth extra-dry

1,25 à 1,5 litre (5 à 6 tasses) de bouillon de poulet

Le jus de 1/2 citron ou, s'il s'agit d'une choucroute servie avec du poisson, de 1 citron complet

60 ml (1/4 tasse) de kirsch

Défaire la choucroute et la mettre à tremper 1 h dans un grand plat d'eau froide. Laver ensuite la choucroute à l'eau courante pendant quelques minutes, puis l'essorer en la pressant dans les mains. Bien la défaire encore une fois et réserver.

Faire bouillir le zeste de citron en julienne environ 1 min si l'on fait une choucroute à la viande, puis égoutter. Réserver.

Faire bouillir les lardons environ 3 à 4 min. Passer à l'eau froide et réserver.

Faire fondre le gras dans une grande cocotte de porcelaine émaillée, puis y mettre les lardons, les carottes et les oignons. Laisser cuire à feu moyen jusqu'à ce que les oignons soient translucides. Ajouter l'ail et cuire de 1 à 2 min. Ajouter la choucroute, le zeste en julienne, le persil, le laurier ainsi que le poivre, les baies de genièvre et le sel. Cuire de 2 à 3 min en mélangeant bien. Ajouter le vermouth. Cuire de 2 à 3 min en mélangeant bien encore. Ajouter le bouillon de poulet et le jus de citron jusqu'à ce que le liquide couvre presque la choucroute. Sinon, ajouter un peu d'eau. Mettre un papier sulfurisé sur la choucroute, couvrir et mettre au four à 160 °C (325 °F) de 2 à 3 h. Sortir du four, enlever le papier sulfurisé, ajouter le kirsch, mélanger, remettre le papier et le couvercle et cuire encore environ 1 h.

Si l'on sert la choucroute avec des jarrets ou des côtes de porc fumé ou avec des noix de jambon, on ajoute la viande à ce moment et on remet au four sans le papier sulfurisé. On laisse cuire de 1 h 30 à 2 h. Si l'on veut ajouter des saucisses, c'est le moment de les mettre. On les laisse le temps qu'il faut pour qu'elles cuisent ou qu'elles deviennent chaudes.

Si l'on fait une choucroute de la mer, on ajoute poisson et fruits de mer environ 20 min avant de servir, moins longtemps pour les petits crustacés.

Si, en cours de cuisson, le liquide a trop diminué, on ajoute bouillon de poulet ou bouillon et vermouth ou encore de l'eau.

CHUTNEY

Maryse est une maniaque du chutney. Si je l'écoutais, elle en ferait cinq fois par année. Et particulièrement quand les mangues se vendent pour à peu près rien.

Chaque fois qu'elle en fait, c'est à peine si on en mange un bocal. Les autres bocaux, on les offre aux amis.

Je ne vous donne donc pas la recette du chutney de Maryse, mais je vous donne celle de son beau-frère. Elle est étonnante.

chutney aux tomates fraîches

Mon beau-frère Ronald Trépanier, qui a séjourné plusieurs fois en Inde, a rapporté du nord de ce pays un chutney délicieux qui accompagne à peu près n'importe quel plat. C'est frais et c'est facile à préparer comme tout.

DONNE 500 ML (2 TASSES)

6 tomates fraîches, pelées et épépinées
2 oignons jaunes coupés en petits dés
4 gousses d'ail émincées très finement
12 à 15 feuilles de menthe hachées
1 ou 2 piments oiseaux
Sel et poivre du moulin

Couper les tomates en petits dés et les mettre dans un bol. Ajouter les oignons, l'ail, la menthe, le piment, le sel et le poivre. Bien mélanger avec les mains en écrasant de manière à obtenir presque une pâte épaisse.

CITROUILLE

La citrouille des Caraïbes a la chair légèrement plus orangée que celle des citrouilles du Canada. Elle est aussi plus sucrée et a un petit goût de châtaigne, comme le potimarron français. Elle fait une purée absolument délicieuse qu'on peut servir avec de la volaille, de l'agneau ou du chevreau.

purée de citrouille des Caraïbes

POUR 8 PERSONNES

1 citrouille des Caraïbes d'environ 2,5 kg (5 1/2 lb)
2 gousses d'ail épluchées et hachées
Sel
150 g (2/3 tasse) de beurre
1 c. à soupe de jus de citron
1/2 noix de muscade râpée
Poivre du moulin

Préchauffer le four à 220 °C (425 °F). Couper la citrouille en 2 dans le sens horizontal, la débarrasser de ses graines et la gratter avec une cuillère afin de la nettoyer de toutes ses fibres. Mettre les 2 morceaux de citrouille dans une lèchefrite, les parsemer d'ail, saler légèrement, puis mettre au four environ 1 h. Quand la citrouille est tendre, la sortir du four, enlever l'ail et extraire la chair avec une cuillère. Déposer les morceaux dans une passoire afin de les égoutter au mieux. Mettre au robot culinaire avec le beurre, le jus de citron, la muscade et le poivre, puis saler au goût. Réduire en purée, mettre dans un plat de service et garder au chaud jusqu'au moment de servir.

COLIN

Voilà un poisson qu'il faut acheter du printemps jusqu'au début de l'été. Il n'est pas cher et il est délicieux. Si vous ne trouvez pas de colin, mais qu'on vous offre du merlu, dites-vous qu'il s'agit du même poisson.

 darne de colin au poivre vert

POUR 2 PERSONNES

1 c. à soupe d'huile d'olive
1 c. à soupe d'huile de noix
Sel
Le jus de ¹/₂ citron vert
1 darne de colin d'environ 3 à 4 cm
   (1 ¹/₄ à 1 ¹/₂ po) d'épaisseur
1 grosse c. à soupe de poivre vert
   grossièrement broyé

Préchauffer le four à *broil*.

Mélanger les huiles, le sel et le jus de citron vert dans une grande assiette, puis en napper généreusement les deux côtés de la darne. Avec la main, appliquer le poivre vert des deux côtés de la darne, comme si l'on préparait un steak au poivre. Laisser mariner ainsi 1 ou 2 h au frigo. Faire griller la darne très près du gril, environ 5 min de chaque côté. Débarrasser la darne de son arête et de sa peau, puis servir en la nappant de ce qui reste des huiles. On accompagne d'épinards au beurre ou d'un autre légume vert.

CONCOMBRE

Mon ami Laszlo Mezei a le même violon d'Ingres que moi : la cuisine. Quand il n'a pas l'œil sur son appareil photo, il l'a sur sa cuisinière.

Laszlo, comme beaucoup d'autres amis hongrois, a fui Budapest en 1956 à la suite du soulèvement qui fut réprimé de violente façon par l'Armée rouge. Il a roulé sa bosse avant d'établir son quartier général à Montréal d'où il rayonne partout en Amérique, en particulier à Los Angeles, Mexico et New York.

Il a presque autant de talent pour la cuisine que pour la photo, et ce n'est pas peu dire, car il a photographié les plus grandes personnalités du monde.

C'est chez lui que j'ai mangé pour la première fois une salade de concombres qui est presque un plat national en Hongrie. J'ai bien dû en manger lors de mon seul séjour à Budapest, mais la ville vivait sous la botte communiste et je dois dire que je ne garde aucun souvenir agréable de mes repas d'alors. Même le foie gras qui abonde en Hongrie était plutôt insipide après être passé par les mains des cuisiniers «communistes». Laszlo m'assure que les choses ont changé… mais il n'est pas très élogieux sur la cuisine hongroise, sauf sur quelques plats de son enfance qu'il réussit à merveille, dont cette salade de concombres qui s'appelle « Überka salàta ».

salade de concombres
POUR 4 PERSONNES

EN ACCOMPAGNEMENT OU EN ENTRÉE

1 gros concombre anglais ou 2 moyens
Sel
1 gros oignon rouge ou jaune ou 2 moyens
250 ml (1 tasse) d'eau
Environ 60 ml (¼ tasse) de vinaigre blanc
1 c. à soupe de sucre
Environ 1 c. à soupe de paprika

Peler sommairement le concombre, le couper en tranches très minces, moins de 2 mm (env. ⅛ po), saler et faire dégorger à température de la pièce de 2 à 3 h.

Couper l'oignon en tranches encore plus fines.

Dans un bol, mélanger l'eau, le vinaigre, le sucre et le paprika. Y déposer les oignons.

Bien essorer les tranches de concombre entre les mains, puis les déposer dans le bol avec les oignons. Mettre au réfrigérateur environ 2 h avant de servir.

Quand on a fini de manger la salade, on en boit le jus. C'est un délice.

COQ AU VIN

Faire du coq au vin, c'est long et même un peu fastidieux, mais, consolation suprême, quand les invités sont là, on n'a plus rien à faire. Voilà qui est bien motivant !

coq au vin à ma manière
POUR 8 PERSONNES

1 poulet de grain d'au moins 2 kg
    (4 ½ lb)
115 g (¼ lb) de lard salé très maigre
Environ 125 ml (½ tasse) d'huile d'olive
125 ml (½ tasse) de vermouth blanc
    extra-dry
Sel et poivre du moulin
2 à 3 c. à soupe de farine
2 bouteilles de bon vin de Bourgogne
500 ml (2 tasses) de bouillon de
    poulet
1 bâton de cannelle
½ c. à café (½ c. à thé) de muscade
    fraîchement moulue
Un bouquet garni composé de 2 feuilles
    de laurier, 6 ou 8 branches de thym
    et 2 branches de romarin
2 ou 3 gousses d'ail
2 douzaines de petits oignons blancs
500 g (env. 1 lb) de champignons de
    Paris
4 à 5 foies de poulet ou l'équivalent en
    foie de porc, d'agneau ou de veau
Un peu d'huile d'olive
2 c. à soupe de cognac ou de brandy
3 c. à soupe de beurre manié (voir p. 191)
Huile d'olive
1 échalote hachée finement

1 gousse d'ail hachée finement
½ c. à café (½ c. à thé) d'herbes de Provence
8 à 10 tranches de pain coupées en 2 et
    débarrassées de leur croûte

Préchauffer le four à *broil*.

Découper le poulet de la façon suivante : enlever les cuisses et couper chacune en 2 morceaux, couper les ailes et ne garder que la partie charnue. Couper ensuite le corps du poulet en 2, puis chaque morceau de poitrine en 2, puis garder le croupion.

Utiliser le reste du poulet pour en faire un bouillon de la manière habituelle.

Trancher le lard salé en petits lardons, les mettre dans une cocotte d'eau froide et les faire bouillir 5 min. Les rincer et les égoutter.

Dans une grande cocotte en fonte émaillée, mettre 1 c. à soupe d'huile d'olive et y faire rissoler les lardons jusqu'à ce qu'ils soient bien dorés. Enlever de la cocotte et réserver.

Ajouter 2 ou 3 c. à soupe d'huile d'olive dans la cocotte et, à feu moyen, faire rissoler les morceaux de poulet de chaque côté. Quand ils sont bien dorés, les enlever, puis vider la cocotte de la graisse et de son huile. Remettre à feu vif, verser les deux tiers du vermouth et déglacer. Quand le vermouth s'est évaporé, remettre le poulet dans la cocotte ainsi que les lardons, saler et poivrer au goût, saupoudrer de 2 à 3 c. à soupe de farine et mettre au four, sous le gril, jusqu'à ce que la farine ait roussi.

À feu plutôt vif, remettre la cocotte sur la cuisinière, puis ajouter les deux bouteilles de vin ainsi que le bouillon, le bâton de cannelle, la muscade et le bouquet garni, puis 2 ou 3 gousses d'ail passées au presse-ail. Dès que le liquide a commencé à bouillir, mettre la cocotte au four à 180 °C (350 °F) pendant 1 h.

Entre-temps, peler les petits oignons après les avoir plongés quelques minutes dans l'eau bouillante. Une fois qu'ils sont pelés, les mettre dans une cocotte, saler et poivrer, puis ajouter le reste du vermouth extra-dry. Couvrir et faire cuire à feu moyen jusqu'à ce que les oignons soient al dente. Réserver.

Brosser les champignons. Verser le reste de l'huile d'olive dans une poêle et, à feu vif, y faire rissoler les champignons en les brassant continuellement. Réserver.

Prendre la moitié des foies, les hacher menu en utilisant deux couteaux. Mettre un peu d'huile d'olive, y faire revenir les foies très rapidement, puis mouiller avec la moitié du cognac ou du brandy. Passer au chinois en pressant bien les foies pour en obtenir une pâte. Réserver.

Enlever les morceaux de poulet de la cocotte, enlever le bouquet garni et faire réduire le bouillon d'environ la moitié. Épaissir, si nécessaire, avec du beurre manié, puis prendre quelques cuillerées de ce liquide, le mêler à la pâte de foie et verser le tout dans le bouillon. Ajouter le poulet, les oignons et les champignons, porter à ébullition, puis garder au chaud jusqu'au moment de servir.

Hacher menu le reste du foie. Verser de l'huile d'olive dans une poêle et, à feu vif, y faire revenir l'échalote et l'ail haché ainsi que le foie assaisonné des herbes de Provence, de sel et de poivre. Dès que le foie a perdu sa couleur rouge, ajouter le reste du cognac ou du brandy, puis écraser avec une fourchette. Faire dorer le pain et y tartiner ce foie.

Servir le coq au vin dans des assiettes très chaudes et accompagner du pain grillé.

COUTEAU

Même si les couteaux abondent sur les plages de Gaspésie et des Îles-de-la-Madeleine, c'est peut-être le plus méconnu de tous nos fruits de mer.

Les couteaux sont faciles à reconnaître, du moins pour ceux qui ont vu leur grand-père se raser. Le couteau ressemble à s'y méprendre au rasoir que papi employait chaque matin. Les Anglais l'appellent souvent *razor clam*.

À Montréal, on trouve des couteaux à la Poissonnerie La Mer. Rarement ailleurs.

La coquille du couteau est brunâtre et très friable. La chair du coquillage est crème. Elle est un peu trop coriace pour qu'on la mange crue. Mais en friture, cuits comme on frit les huîtres, les couteaux sont excellents. On peut aussi les préparer à la vapeur et les servir avec une pointe de citron, mais ils sont meilleurs frits. Régalez-vous, ils ne coûtent rien. Pour l'instant...

CRÈME GLACÉE

Très souvent, on me fait goûter de la crème glacée artisanale ou presque. Celle du Bilboquet, de la rue Bernard, la plupart du temps.

Ces crèmes glacées sont bonnes, mais, honnêtement, je préfère celles que je fais, toujours plus crémeuses et plus riches. Je reconnais que les glaces et les sorbets d'Ali Baba sont étonnants. Mais son petit établissement très fréquenté en saison se trouve à quelques kilomètres à l'est de Rivière-du-Loup. Pas très pratique, quand on a un goût soudain de crème glacée et qu'on habite Montréal, Ottawa ou Paris !

À Paris, dans l'île Saint-Louis, Berthillon a grande réputation. Ses glaces se vendent d'ailleurs dans beaucoup de restaurants et de comptoirs. Chez Berthillon même, on peut se les procurer en demi-litres, en litres ou en récipients de deux litres. Elles sont délicieuses, mais très chères, et l'établissement doit sûrement fermer trois à quatre mois sur 12 pour des vacances et de nombreux congés.

Je fais mes glaces et mes sorbets depuis une trentaine d'années. Avec la même machine depuis un quart de siècle : une Simac que je n'ai jamais fait réparer et qui ne m'a jamais fait défaut.

Si vous avez des enfants ou si vous êtes friands de glaces et de sorbets, faites-les vous-mêmes. Vous pourrez y exercer toute votre créativité.

Note : J'ai l'habitude d'ajouter du meske à mes crèmes glacées. C'est un genre d'aromate que l'on trouve dans les bonnes épiceries du Proche-Orient. Il se vend sous forme de cristaux. Je le donne comme ingrédient facultatif, car si vous ne parvenez pas à en trouver, vous réussirez vos glaces quand même.

crème glacée à la mangue et au citron vert

DONNE ENVIRON 1 LITRE (4 TASSES)

2 mangues bien mûres

1 c. à soupe de jus de citron vert

80 ml (1/3 tasse) de miel doux

1 c. à soupe de rhum brun

1 1/2 c. à café (1 1/2 c. à thé) d'essence de vanille

1 œuf

Une pincée de sel

250 ml (1 tasse) de crème épaisse

2 c. à soupe de sucre

1 c. à café (1 c. à thé) de meske (facultatif)

Éplucher les mangues, les couper en gros morceaux et les réduire en purée avec le jus de citron, le miel, le rhum et la vanille. Passer au chinois afin qu'il ne reste aucune fibre. Réserver.

Battre l'œuf au fouet ou au moulin, ajouter le sel, puis la crème et le sucre. Battre jusqu'à ce que la crème ait une consistance très épaisse. Ajouter la mangue et battre encore quelques minutes. Réduire le meske en poudre dans un mortier, puis l'ajouter au mélange.

Faire glacer dans la sorbetière selon les indications du fabricant ou au congélateur, en brassant toutes les 10 à 15 min jusqu'à ce que le mélange soit bien pris.

crème glacée au gingembre

POUR 6 À 8 PERSONNES

6 à 8 morceaux de gingembre confit

Rhum

2 œufs entiers

500 ml (2 tasses) de crème à fouetter

125 ml (1/2 tasse) de crème légère

80 ml (1/3 tasse) de confiture de gingembre ou de gelée de gingembre

3 c. à soupe de miel réchauffé

1/2 c. à café (1/2 c. à thé) de meske réduit en poudre (facultatif)

1 c. à soupe de jus de citron

1 c. à café (1 c. à thé) d'essence de vanille

3 gouttes d'essence d'amande

3 gouttes d'essence de coco

Une pincée de sel

1/4 c. à café (1/4 c. à thé) de gingembre en poudre (facultatif)

Hacher grossièrement le gingembre confit et le faire tremper environ 1 h dans le rhum. Battre les œufs au batteur électrique jusqu'à ce qu'ils soient bien gonflés, ajouter le miel, la crème à fouetter, battre encore environ 5 min, ajouter la crème légère, continuer à battre, puis ajouter la confiture ou la gelée de gingembre, le meske, le jus de citron, les essences et le sel ainsi que le gingembre en poudre, si l'on souhaite une glace qui a un fort parfum de gingembre. Ajouter le rhum et le gingembre confit, battre à la main 1 min, puis faire glacer dans la sorbetière selon les indications du fabricant ou au congélateur, en brassant toutes les 10 à 15 min jusqu'à ce que le mélange soit bien pris.

crème glacée aux marrons glacés

POUR 6 À 8 PERSONNES

8 marrons glacés

2 c. à soupe de rhum brun

2 œufs entiers

500 ml (2 tasses) de crème à fouetter

125 ml (½ tasse) de crème légère

80 ml (⅓ tasse) de crème de marrons

½ c. à café (½ c. à thé) de meske réduit
en poudre (facultatif)

1 c. à café (1 c. à thé) d'essence de vanille

3 gouttes d'essence d'amande

3 gouttes d'essence de coco

Une pincée de sel

Hacher les marrons glacés grossièrement, puis les faire tremper dans le rhum environ 1 h. Battre les œufs au batteur électrique jusqu'à ce qu'ils soient bien gonflés, ajouter la crème à fouetter, battre encore environ 5 min, ajouter la crème légère, continuer à battre, puis ajouter la crème de marrons, le meske, les essences et le sel. Ajouter le rhum et les marrons glacés, battre à la main 1 min, puis faire glacer dans la sorbetière selon les indications du fabricant ou au congélateur, en brassant toutes les 10 à 15 min jusqu'à ce que le mélange soit bien pris.

CREVETTE

Si seulement on pouvait trouver facilement des crevettes vraiment fraîches, je vous donnerais 10 autres façons de les cuisiner, mais...

crevettes à la tomate fraîche

POUR 2 PERSONNES

Le zeste de ½ citron coupé en julienne

3 c. à soupe d'huile d'olive

1 c. à soupe d'huile de noix ou de noisette

1 gros oignon jaune coupé en rondelles

1 branche de céleri coupée en rondelles fines

2 gousses d'ail hachées finement

4 tomates italiennes pelées, épépinées et
coupées en rondelles

1 petit piment oiseau

6 feuilles de menthe fraîche

1 feuille de laurier broyée

6 à 8 feuilles de coriandre fraîche

3 c. à soupe de pâte de tomate

Une pincée de sucre

160 ml (⅔ tasse) de vermouth blanc
extra-dry

Sel et poivre du moulin

300 g (env. 10 oz) de crevettes fraîches
décortiquées

Ébouillanter le zeste de citron, le laisser ainsi pendant 1 min et réserver. Faire chauffer les huiles à feu moyen dans une sauteuse, y déposer l'oignon et le céleri et cuire jusqu'à ce qu'ils soient tendres. Ajouter l'ail, cuire de 2 à 3 min, puis ajouter les tomates, le zeste de citron, le piment écrasé et les herbes. Mélanger la pâte de tomate, le sucre et le vermouth, puis ajouter au contenu de la sauteuse. Saler et poivrer au goût. Porter à ébullition, baisser le feu et faire mijoter environ 1 h à feu doux. Monter le feu, puis ajouter les crevettes. Cuire de 6 à 7 min si les crevettes sont grosses, de 4 à 5 min si elles sont petites. Servir immédiatement dans des assiettes à soupe chaudes avec du pain grillé.

Dorade
Doré

DORADE

Presque toutes les dorades qu'on trouve maintenant dans nos poissonneries sont des dorades d'élevage. Et pour vous compliquer la vie, la dorade qu'on qualifie de «royale» est une dorade d'élevage!

Il y a plusieurs variétés de dorades. La moins chère, c'est la grise. Je préfère la dorade rose.

Toutes les dorades ont des caractéristiques communes : elles ont de gros yeux (alors, si comme moi vous aimez les yeux de poisson, vous serez servi...), de grosses écailles et de grosses arêtes. Une dorade donne à peine la moitié de son poids de chair.

C'est entière qu'il est préférable de cuisiner la dorade. Faire lever les filets est un véritable gaspillage. Comme la peau de la dorade grillée ou poêlée est délicieuse, assurez-vous que le poissonnier enlève bien les écailles.

 dorade poêlée
Cette recette peut aussi se faire avec du bar.

POUR 2 PERSONNES
1 dorade d'environ I kg (2 1/4 lb)
Sel et poivre du moulin
1 tranche d'oignon
1 bouquet de persil

1 c. à soupe d'un mélange d'huile d'olive
    et de noisette
Des herbes de Provence
3 c. à soupe d'huile d'olive
1 c. à soupe de jus de citron jaune
    ou vert

Parer la dorade, saler et poivrer la cavité du poisson, y insérer la tranche d'oignon et le bouquet de persil. Enduire la peau du poisson des deux côtés du mélange d'huiles et y faire adhérer les herbes de Provence en tapotant. Saler et poivrer. Mettre l'huile d'olive dans une grande poêle, faire chauffer à feu moyen. Y déposer la dorade sur le côté et cuire de 5 à 8 min, selon la grosseur. Tourner le poisson de l'autre côté et cuire encore de 3 à 5 min. Déposer la dorade dans une assiette de service très chaude, puis arroser du jus de citron. Découper à table.

DORÉ

Autrefois, nos lacs et nos rivières regorgeaient de dorés. Hélas, ils sont maintenant moins poissonneux et la pêche est loin d'être la seule responsable. La pollution a eu ses conséquences, puisque le doré est surtout à l'aise dans les rivières et les lacs limpides.

Une des façons de juger de la fraîcheur du poisson est de lui regarder les yeux : ils doivent être ronds et brillants. Dans le cas du doré, ce n'est pas vrai, car le doré a les yeux vitreux de naissance ! En anglais, ce poisson, on l'appelle *walleye,* ce qui signifie vitreux. La nature l'a ainsi fait, parce que le doré est un prédateur qui chasse surtout à la brunante, et ses yeux ont la capacité de bien voir dans une lumière tamisée.

Ce n'est qu'au Québec qu'on appelle ce poisson doré. En France, c'est du sandre.

Le doré qu'on achète au Québec vient du Québec l'été, des Grands Lacs et d'Europe aux autres moments de l'année. On le vend généralement en filets. Poisson à chair très délicate et à la peau agréablement savoureuse, c'est encore poêlé et à l'unilatéral que l'on cuisine ses filets avec le plus d'éclat.

filets de doré poêlés

POUR 2 PERSONNES

1 c. à soupe de romarin haché finement
1 c. à café (1 c. à thé) de zeste de citron
  haché finement
1 c. à café (1 c. à thé) de zeste de
  citron vert haché finement
1 c. à soupe d'huile d'olive
1 c. à café (1 c. à thé) d'huile de noisette
  ou de noix
Quelques gouttes de vinaigre balsamique
Sel et poivre
2 gros filets ou 4 petits filets de doré
  avec leur peau
1 c. à soupe d'huile de tournesol ou
  d'arachide

½ oignon jaune en minces rondelles
1 gousse d'ail en fines lamelles
1 c. à soupe de jus de citron jaune et de
  citron vert mélangés

Dans une grande assiette, mélanger romarin, zestes, huiles d'olive et de noisette ou de noix, vinaigre, ainsi que sel et poivre. Y déposer les filets d'un côté, puis de l'autre, pour qu'ils soient bien imbibés de cette marinade. Laisser reposer une dizaine de minutes.

Dans une grande poêle, faire chauffer à feu assez vif l'huile de tournesol ou d'arachide. Lorsque l'huile est chaude, y déposer les filets côté chair et faire cuire 2 min, pas plus. Pendant ce temps, mettre les rondelles d'oignon et les lamelles d'ail dans la marinade pour bien les imbiber. Retourner les filets. Répartir l'oignon et les lamelles d'ail dans la poêle et sur les filets. Cuire de 3 à 4 min, selon la grosseur des filets, jusqu'à ce que la peau soit bien croustillante. Selon l'endroit où les rondelles d'oignon et les lamelles d'ail se trouvent dans la poêle, certaines seront plus ou moins cuites, d'autres pourront même être grillées, et c'est très bien ainsi. Déposer les filets dans des assiettes très chaudes, y répartir le reste de la marinade et verser sur les filets le jus de citron. Servir immédiatement avec une salade verte ou des pommes de terre sautées.

Entrée
Épinards
Établissements spécialisés

ENTRÉE

Voilà un service pour lequel on se casse souvent la tête pour rien. Il y a pourtant des règles faciles.

Moi, j'en ai une : je suis contre la soupe ! Ceux qui me connaissent savent que je considère que la soupe est bonne juste pour les malades ! Et comme je ne suis jamais malade…

Je fais tout de même quelques exceptions pour un bon minestrone, une soupe de poisson, une crème de betteraves, de poivrons ou d'asperges, ainsi que pour le velouté de panais et la soupe aux huîtres.

Encore là, j'exagère. Comme deuxième entrée, lorsque j'en fais deux, une crème ou un potage est souvent mon choix. Mais j'en sers très peu. Quelques cuillerées à soupe. Si je suis contre la soupe en entrée, c'est qu'elle est très bourrative et qu'elle a plutôt le don de couper l'appétit, ce qui est le contraire de ce qu'on doit demander à une entrée.

L'une des règles simples d'une bonne entrée, c'est de bien l'accorder avec le plat principal. Si ce plat contient beaucoup de légumes, on favorisera une entrée qui n'en contient pas et vice versa. Et si le plat principal comporte une sauce, c'est exclu de présenter une entrée qui serait en sauce aussi. On ne fait évidemment pas une entrée de pâtes si on sert des pâtes en plat principal et ainsi de suite.

La plupart des légumes qu'on utilise comme accompagnement peuvent faire des entrées. Presque tous les plats de pâtes aussi, à condition qu'on en réduise les quantités. Même chose pour les risottos qui font d'agréables entrées. Le poisson qui reste de la veille, surtout s'il a été poêlé ou grillé, peut constituer une excellente entrée pour le repas du lendemain. Les restes de viande aussi.

L'entrée est une bonne occasion de faire valoir sa créativité. On peut aussi composer des entrées avec des fruits. C'est plus délicat, toutefois, car beaucoup de fruits sont naturellement trop sucrés pour constituer une entrée intéressante.

À partir de plusieurs recettes de ce livre comme de celles du tome I, vous pourrez préparer des dizaines d'entrées différentes. Je vous donne néanmoins quelques recettes spécifiques.

entrée d'okras et tomates

Les okras ou gombos sont ces petits légumes exotiques avec lesquels la plupart des consommateurs ne savent que faire. Il faut les choisir bien fermes, les laver à l'eau froide et les sécher dans une serviette.

Comment les parer ? On enlève la pointe et la capsule qui entourent le pédoncule, mais il faut faire attention de ne pas déchirer la gousse qui contient les graines et un liquide qui rappelle celui qu'on trouve dans les cactus.

POUR 4 À 6 PERSONNES

1 kg (2 ¹/4 lb) d'okras bien frais

1 sac de petits oignons blancs

80 ml (¹/3 tasse) d'huile d'olive vierge

4 gousses d'ail coupées en 2 ou
   3 morceaux, selon la grosseur

450 g (1 lb) de tomates (olivettes, si
   possible) pelées, épépinées et coupées
   en rondelles

Sel et poivre du moulin

¹/2 c. à café (¹/2 c. à thé) de piment
   d'Espelette séché ou une pincée de
   piment oiseau écrasé

125 ml (¹/2 tasse) de vermouth blanc
   extra-dry

Le jus de 1 citron

1 petit bouquet de coriandre fraîche,
   hachée grossièrement

Parer les okras comme je l'explique dans l'introduction de la recette. Faire blanchir les oignons dans l'eau bouillante, puis les peler.

Dans une sauteuse, faire rissoler les oignons dans l'huile d'olive. À mi-cuisson, ajouter l'ail. Quand l'ail et les oignons sont tendres et dorés, augmenter l'intensité du feu, ajouter les okras et cuire environ 4 min. Ajouter les tomates et cuire encore quelques minutes. Saler, poivrer et mettre le piment oiseau, si c'est le piment que l'on choisit.

Ajouter le vermouth et un peu d'eau (jusqu'à hauteur des ingrédients), couvrir et cuire environ 1 h. Ajouter le jus du citron, la coriandre et le piment d'Espelette, si c'est le piment que l'on choisit. Cuire encore 12 min.

Servir à température de la pièce. On peut aussi servir ce plat chaud, mais il prend toute sa saveur lorsqu'il a refroidi.

entrée de petits légumes au homard, crevettes ou écrevisses

POUR 2 PERSONNES

4 c. à soupe de beurre

1 queue de homard ou 4 grosses crevettes
   ou encore 6 écrevisses

1 petite branche de céleri coupée en dés
   de 1 x 1 cm (env. ¹/2 x ¹/2 po)

1 petite carotte coupée de la même
   manière

¹/2 poivron vert coupé aussi en petits dés

1 échalote coupée pareillement

1 gousse d'ail débarrassée de sa peau

¹/2 petite courgette coupée de la même
   façon

1 tomate pelée, épépinée et coupée en
   petits dés

180 ml (³/4 tasse) de crème épaisse à
   température de la pièce

Sel et poivre du moulin

Un petit bouquet de cerfeuil, de persil ou
   de coriandre haché finement

Dans une poêle, mettre 1 c. à soupe de beurre. Y faire revenir à feu assez vif la queue de homard avec sa coquille coupée en 2 dans le sens de la longueur. S'il s'agit de crevettes, on aura retiré préalablement la carapace et la veine noire, mais gardé la queue. Quant aux écrevisses, on aura enlevé la queue en tirant dessus pour retirer la veine noire, mais gardé la tête.

Dès que homard, crevettes ou écrevisses sont à peine cuits, réserver dans une assiette.

Mettre le reste du beurre dans la poêle, puis y déposer le céleri, la carotte, le poivron et l'échalote ainsi que la gousse d'ail. Quand les légumes sont attendris, ajouter la courgette et la tomate. Dès qu'ils sont attendris à leur tour, enlever la gousse d'ail, ajouter la crème, saler et poivrer. Faire mijoter à feu doux jusqu'à ce que la crème ait réduit d'environ un tiers.

Ajouter alors le homard (qu'on peut débarrasser de sa coquille), les crevettes ou les écrevisses et laisser réchauffer.

Servir dans de petites cassolettes de cuivre ou de petits ramequins bien chauds et décorer du cerfeuil, du persil ou de coriandre.

entrée de ratatouille libanaise

POUR 4 À 6 PERSONNES

Sel

2 aubergines coupées en tranches épaisses

1 oignon jaune tranché en rondelles

125 ml (½ tasse) d'huile d'olive

4 gousses d'ail coupées en lamelles

2 poivrons verts, épépinés et coupés en rondelles

5 tomates pelées, épépinées et coupées en tranches

1 pincée de piment oiseau écrasé entre les doigts

Poivre du moulin, au goût

Saler les tranches d'aubergine, puis les faire dégorger environ 2 h. Les débarrasser de leur sel avec un linge à vaisselle ou du papier essuie-tout et bien les assécher.

Dans une sauteuse, faire cuire l'oignon dans l'huile jusqu'à ce qu'il commence à se colorer. Ajouter l'ail et les tranches d'aubergine. Les cuire quelques minutes de chaque côté. Ajouter ensuite les rondelles de poivron et cuire encore une dizaine de minutes en remuant doucement. Ajouter les tomates, le piment oiseau, du sel et du poivre, au goût. Faire mijoter environ 30 min jusqu'à ce que les légumes soient bien tendres et que le liquide ait diminué de plus de la moitié.

Laisser refroidir dans la sauteuse. Servir à température de la pièce.

entrée de tomates et pois chiches

Voici une entrée que mon ex-femme d'origine libanaise faisait, à l'occasion.

POUR ENVIRON 6 PERSONNES

125 g (½ tasse) de pois chiches

450 g (1 lb) de tomates fraîches (des olivettes, si possible)

1 kg (2 ¼ lb) de pommes de terre

3 oignons jaunes en rondelles

80 ml (¹/₃ tasse) d'huile d'olive
extra-vierge

3 gousses d'ail émincées finement

160 ml (²/₃ tasse) de vermouth blanc
extra-dry

1 c. à soupe de pâte de tomate

1 c. à soupe de pâte harissa

Sel et poivre du moulin

Un peu d'eau

Faire tremper les pois chiches toute une nuit. On peut aussi prendre des pois chiches en conserve. Peler les tomates, les épépiner et les couper en gros dés.

Éplucher les pommes de terre, puis les couper en tranches d'environ 0,5 cm (¹/₄ po) d'épaisseur. Faire cuire les oignons dans l'huile. Dès qu'ils commencent à dorer, ajouter les pois chiches bien égouttés et l'ail. Faire cuire jusqu'à ce que les pois soient dorés. Ajouter les tranches de pomme de terre et continuer de cuire en remuant doucement. Quand les pommes de terre ont pris de la couleur, ajouter les tomates ainsi que le vermouth auquel on aura mélangé la pâte de tomate et la pâte harissa. Saler et poivrer. Le liquide doit arriver presque à hauteur des autres ingrédients. S'il en manque, ajouter de l'eau.

Porter à ébullition et cuire à feu assez doux jusqu'à ce que les pommes de terre et les pois soient tendres, soit environ 30 min.

Cette entrée se sert froide.

ÉPINARDS

Pauvres épinards ! S'ils étaient moins maltraités, on les aimerait bien davantage. Mais détruisons tout de suite un mythe qui se perpétue depuis que le célèbre Popeye, héros de dessins animés, a vu le jour : les épinards ne contiennent pas beaucoup de fer et le peu qu'ils contiennent disparaît presque entièrement si on les fait cuire. Alors, fini de croire que vous mangez du fer tout rond en mangeant des épinards. Si vous êtes anémique, vous ne pourrez jamais trop en manger... et ne craignez rien, vous n'engraisserez pas, car ils sont très, très peu caloriques...

Si vous faites de l'arthrite ou du rhumatisme, allez-y mollo dans les épinards parce qu'ils contiennent un acide qui n'améliorera pas votre situation. Mais moi qui fais de l'arthrite et du rhumatisme, j'ai décidé de ne pas me priver d'épinards. C'est vous dire que je suis prêt à tout pour m'en régaler.

Voici donc quelques trucs pour en tirer le meilleur parti possible.

comment acheter les épinards

Oubliez les conserves, à moins que vous vouliez vous dégoûter à jamais des épinards. Surgelés ? Seulement si vous êtes mal pris ou que vous êtes trop paresseux pour prendre le temps qu'il faut pour laver et équeuter des épinards frais. Frais ? Oui, bien sûr... parce qu'il y en a pratiquement toute l'année et que leur saveur est incomparable.

On les achète en sacs seulement si l'on ne peut pas en trouver en bottes. Et il faut regarder le sac à la loupe parce qu'une fois sur deux, les feuilles auront déjà commencé à pourrir. Trop souvent, on les met en sacs alors qu'ils sont encore humides ! C'est mortel. Il va vous falloir faire le ménage feuille par feuille.

comment savoir si les épinards sont frais

Rien de plus facile. Leurs feuilles doivent être vert vif ou vert foncé. Elles ne doivent pas avoir commencé à jaunir et doivent craquer sous les doigts quand on les casse !

comment parer les épinards

Sauf si les épinards sont hyper frais ou que ce sont de jeunes épinards, il faut les équeuter. Dans le cas de ceux qui sont très gros, on prend chaque feuille entre ses doigts, on la plie en deux et on tire sur la queue en allant vers la pointe de la feuille, ce qui permet d'enlever la nervure centrale.

À moins qu'ils aient déjà été lavés — c'est le cas des épinards en sacs —, on remplit d'eau l'évier de la cuisine ou un grand bol à mélanger, on ajoute 60 ml (¹⁄₄ tasse) de vinaigre, puis on lave toutes les feuilles une par une.

Ne vous découragez pas, il y a des épinards tellement pleins de terre, surtout l'été, qu'il faut les laver dans trois ou quatre eaux. La bonne nouvelle, c'est qu'on n'a pas besoin de mettre de vinaigre dans chacune des eaux de lavage.

comment cuire les épinards

- Sans les essorer, juste avec l'eau qui reste sur les feuilles une fois qu'on les a lavées, en les remuant et sans couvrir.
- Malgré les apparences, les épinards n'ont pas besoin d'une immense marmite pour cuire. On en met une partie dans la casserole, puis on n'a qu'à la remplir à mesure qu'ils commencent à cuire. Et en cuisant, les épinards se tassent, ce qui laisse de la place pour les autres.
- Pour finir, détail d'importance : pas de poivre sur les épinards. Jamais ! Le poivre s'attache aux feuilles et vos invités pourraient croire que les épinards ont été mal lavés. On remplace le poivre par de la muscade râpée, une généreuse portion de muscade.

hachis aux épinards
POUR **4** PERSONNES

60 ml (¹⁄₄ tasse) d'huile d'olive ou de tournesol

2 sacs ou 3 bottes d'épinards frais

Sel et poivre du moulin

1 c. à soupe d'huile de noix ou de noisette

¹⁄₂ oignon jaune émincé finement

550 g (1 ¹⁄₄ lb) de chevreau, d'agneau ou de bœuf haché

3 gousses d'ail émincées finement

Environ ¹⁄₂ c. à café (¹⁄₂ c. à thé) de cannelle moulue

Environ ¹⁄₂ c. à café (¹⁄₂ c. à thé) de cumin moulu

Environ ¹⁄₂ c. à café (¹⁄₂ c. à thé) de muscade moulue

6 à 8 feuilles de menthe fraîche, hachées
grossièrement
40 g (¼ tasse) de pignons déjà rôtis
Environ 1 c. à café (1 c. à thé) de jus de citron

Mettre la moitié de l'huile d'olive ou de tournesol dans une sauteuse et, à feu vif, faire cuire rapidement une partie des épinards tout en les remuant. En ajouter à mesure dans la casserole. Saler. Réserver au chaud.

Mettre le reste de l'huile d'olive et l'huile de noix ou de noisette dans la sauteuse, puis y faire blondir légèrement l'oignon à feu moyen. Ajouter la viande et, pendant qu'elle cuit, la défaire avec deux fourchettes. À mi-cuisson, ajouter l'ail, la cannelle, le cumin et la muscade, puis continuer à cuire jusqu'à ce que la viande ait perdu sa couleur rouge. Saler et poivrer au goût, ajouter la menthe, les pignons et les épinards, et faire chauffer encore quelques minutes en remuant légèrement. À la fin, ajouter le jus de citron.

Servir tel quel, dans des assiettes chaudes, comme plat principal.

ÉTABLISSEMENTS SPÉCIALISÉS

Je ne renie presque rien de la longue liste d'établissements spécialisés que j'ai publiée dans le tome I d'*Un homme au fourneau*.

Certains établissements ont fermé leurs portes, d'autres ont fait faillite ou se sont dégradés. À Saint-Paul-d'Abbotsford, la Boucherie du Quartier y est toujours, mais pas son maître boucher, Paul Bélanger. La Douce Miellée, à Waterloo, n'a pas résisté à la maladie qui a frappé nos abeilles et la Poissonnerie Archambault du Marché Atwater ne suscite plus le même enthousiasme. Chez Cowie, à Granby, Johanne est toujours aussi gentille et la clientèle n'a cessé de croître. Malheureusement pour ceux qui préfèrent préparer leur poisson eux-mêmes, la clientèle court de plus en plus après les plats cuisinés. Ceux qu'on y fait sont bons, mais je continue de croire qu'on n'est jamais si bien servi que par soi-même. À Paris, la Poissonnerie Lacroix a fermé ses portes, mais il y a, le mercredi après-midi et le samedi matin, Place Beaudoyer, dans le 4e arrondissement, un poissonnier exceptionnel. Il y en a deux, mais il faut préférer de loin celui qui est juste en face des portes de la mairie. Le dimanche, sur le boulevard Richard-Lenoir, dans le 11e arrondissement, deux ou trois poissonniers vendent des produits de grande qualité. Et tous ces marchands à une fraction du prix que demandait la Poissonnerie Lacroix. Ce n'est peut-être pas étranger au fait que cette dernière ait fermé ses portes.

Depuis, j'ai trouvé d'autres établissements d'exception. Vous aussi, sans doute, car les quartiers où l'on habite recèlent souvent leurs bonnes adresses.

Mais laissez-moi tout de même le plaisir de vous en signaler quelques-uns.

CHEZ LOUIS

Place du Marché du Nord
Marché Jean-Talon, Montréal
(514) 277-4670

Je ne sais pourquoi j'avais dans le premier tome oublié cette extraordinaire fruiterie. Peut-être par souci d'économie, puisque rien n'y est bon marché. Mais cessez de chercher ailleurs fruits et légumes de toutes les provenances, vous les trouverez là. Presque toujours ultra frais et de grande qualité.

ÉPICERIE CAPITOL

Place du Marché du Nord
Marché Jean-Talon, Montréal
(514) 276-1345

Pour la qualité du veau et de l'agneau, la variété de ses fromages italiens et de ses pâtes artisanales sèches. Il y a aussi d'excellents saucissons.

FERME DES TROIS CHÊNES LTÉE

840, Grand Rang Saint-Charles
Saint-Paul-d'Abbotsford, Québec
(450) 379-9065   Fax : (450) 379-9349
rochg@sympatico.ca

Marc Genest et Ghislaine Roch, deux agronomes, abandonnent lentement l'exercice de leur profession pour se consacrer à l'élevage d'agneaux. Ils font même fumer de l'épaule d'agneau qu'ils vendent comme du «jambon». On peut s'y procurer des agneaux entiers, des demi-agneaux et même des pièces d'agneau découpées avec soin, enveloppées sous vide et congelées. Et c'est bien meilleur que l'agneau de Nouvelle-Zélande. On peut commander par fax ou par courriel.

FRUITERIE MILE END

5686, av. du Parc, Montréal
(514) 278-5576

L'établissement ne paie pas de mine, mais les fruits et légumes qu'on y vend sont toujours d'une belle fraîcheur. Et on y trouve presque de tout, y compris de belles oranges de Séville, en saison. Le proprio, un Pakistanais d'origine, est d'une grande gentillesse et s'exprime aussi bien en français qu'en anglais.

G. DETOU

58, rue Tiquetonne, 75002 Paris
(1) 42 36 54 67   Fax : (1) 42 33 96 43

Un autre endroit où il ne faut pas mettre les pieds si l'on ne veut rien acheter. Les fruits confits, les marrons glacés, les champignons séchés, tout y est irrésistible. Et vous avez peut-être cru que je faisais une blague en vous donnant le nom de l'établissement ? Pas du tout, le fondateur de la maison s'appelait vraiment «Detou». Quel homme bien nommé !

LA BELLE POINTE
MAGASIN GÉNÉRAL

Upton, Québec
(450) 549-6000

Une halte extraordinaire dans ce joli petit village situé à quelques kilomètres de Saint-Hyacinthe. On y a reconstruit un vieux magasin général où l'on vend maintenant tous les produits du terroir des alentours ainsi que la merveilleuse huile de tournesol des propriétaires. Un détour à faire au moins trois ou quatre fois l'an.

LA MER

1840, boul. René-Lévesque Est, Montréal
(514) 522-3003

Cette poissonnerie est passée par toutes les misères et, il y a quelques années, je l'avais reniée ! Pour de bon, ai-je cru. Eh bien, non ! Elle a changé d'attitude et sûrement de proprio. Aujourd'hui, c'est sans doute la poissonnerie la plus complète du Québec. On y trouve de tout, mais absolument de tout. Et c'est frais ! Et c'est abondant. Mais il faut connaître poissons et fruits de mer, car on se sert soi-même et ce n'est pas facile d'y obtenir des renseignements. Mais quand on vit à tant de centaines de kilomètres de la mer la plus proche, bénie soit celle-ci !

LATINA

185, rue Saint-Viateur Ouest, Montréal
(514) 271-6561

Pour toutes les spécialités italiennes et pour sa merveilleuse variété de *panettones* à l'époque des Fêtes.

L'OLIVIER

Place du Marché du Nord
Marché Jean-Talon, Montréal
(514) 278-8910

Vous aimez comme moi la cuisine méditerranéenne ? Allez faire un tour chez Rekik le Tunisien. Vous trouverez tout ce qu'il vous faut pour cuisiner à la libanaise ou à la marocaine.

POISSONNERIE SHERBROOKE

5121, rue Sherbrooke Ouest, Montréal
(514) 486-5246

Une bonne et honnête petite poissonnerie. Moins bien que le Nouveau Falero (voir tome I, p. 168), mais à peine...

SAECO

8145, rue Saint-Laurent, Montréal
(514) 385-5551

Si vous êtes maniaques de café et de machines à café, de grâce, n'y entrez pas. Impossible d'en ressortir les mains vides !

Farce

Fenouil

Fish'n'chips

Flétan

Foie gras de canard

Fraises

Frittata

FARCE

À quoi servent les farces ? À faire rire, évidemment, mais celles qu'on met dans la volaille ont une autre raison d'être : permettre à une volaille qui servirait normalement 4 personnes d'en servir une de plus !

 farce aux marrons pour la dinde de Noël

Quand j'habitais avec Louise Deschâtelets, jamais on n'a fait cuire de dinde ou de dindon sans l'accompagner d'une farce aux marrons. Et je sais que Louise est encore friande de cette farce.

Cette farce est assez longue à préparer, mais c'est un régal.

La recette donne ce qu'il faut pour farcir une dinde de grosseur moyenne. On réduit les quantités lorsqu'il s'agit de farcir un chapon qui pèse seulement 3 ou 4 kg (6³/₄ ou 8³/₄ lb).

DONNE ENVIRON 560 À 700 G
(4 À 5 TASSES) DE FARCE

85 g (¹/₂ tasse) d'oignon haché finement

3 c. à soupe d'huile d'olive, d'huile de tournesol ou d'huile végétale

2 gousses d'ail hachées finement

Le foie, le cœur et le gésier de la dinde, bien parés et hachés fin

450 g (1 lb) de porc haché assez gras

450 g (1 lb) de veau haché

225 g (¹/₂ lb) de bœuf haché

Sel et poivre du moulin

¹/₂ c. à café (¹/₂ c. à thé) d'herbes de Provence séchées

¹/₄ c. à café (¹/₄ c. à thé) de piment de la Jamaïque (*allspice*)

60 ml (¹/₄ tasse) de brandy

800 g (4 tasses) de marrons en conserve, en semi-conserve ou sous vide non sucrés, bien rincés et bien égouttés

2 ou 3 œufs battus

Dans une grande sauteuse, faire dorer les oignons dans l'huile, ajouter l'ail, puis y faire cuire légèrement les abats de la dinde jusqu'à ce qu'ils aient perdu leur couleur rouge. Pendant ce temps, mettre toute la viande dans un grand plat, y ajouter sel, poivre, herbes et épices et bien mélanger. Faire cuire légèrement la viande ainsi mélangée dans la sauteuse en l'écrasant avec deux fourchettes afin qu'elle ait une consistance homogène. Dès que toute la viande a perdu sa couleur rouge, augmenter le feu au maximum, puis verser le brandy. Une minute après, réduire le feu, puis ajouter les marrons après les avoir écrasés avec les doigts pour les briser. Bien mélanger les marrons avec la viande, puis retirer du feu après avoir rectifié l'assaisonnement en sel. Laisser tiédir légèrement. Battre les œufs au fouet ou à la fourchette, verser dans la farce et pétrir légèrement le tout avec les mains afin que la farce soit bien liée. Laisser revenir la farce à température de la pièce avant d'en bourrer la dinde. Si la dinde n'est pas farcie le même jour, couvrir et réfrigérer la farce, mais la faire revenir à température de la pièce avant d'en farcir la dinde.

variante

Si vous avez du mal à trouver des marrons, ce qui est tout à fait possible, ou si vous n'êtes pas familiers avec ce fruit légèrement exotique, voici une autre façon de faire la farce qui précède.

Remplacer les marrons par 150 g (1 tasse) de raisins secs de Californie sans pépins ayant macéré quelques heures dans 60 ml (¼ tasse) de porto.

Puis ajouter 100 g (3 tasses) de mie de pain légèrement rassis, grossièrement émiettée entre les doigts.

Après avoir ajouté le brandy à la farce, y mettre les raisins et la mie de pain, puis bien mélanger avec la viande avant de retirer du feu.

FENOUIL

J'ai déjà traité du fenouil dans le tome I, mais comme ce légume au petit goût de réglisse est encore méconnu, je reviens à la charge. Je vous présente donc ici une variante de mon fenouil braisé. Et je vous propose également le légume en purée avec du céleri-rave, mariage qui, ma foi, en est un d'amour plus que de raison.

fenouil braisé

POUR **4** PERSONNES

3 beaux bulbes de fenouil
125 ml (½ tasse) de vermouth blanc extra-dry
2 c. à soupe d'huile d'olive vierge
2 c. à soupe de jus de citron
Sel et poivre du moulin

Préchauffer le four à 190 °C (375 °F).

Parer les bulbes et les couper chacun en 3 ou 4 morceaux (selon leur grosseur) dans le sens de la longueur. Les disposer dans une lèchefrite allant au four et verser dessus le vermouth et l'huile d'olive. Bien recouvrir la lèchefrite d'un papier d'aluminium, déposer sur un des feux de la cuisinière jusqu'à ce que le vermouth commence à frémir, puis mettre au four. Cuire environ 1 h ou jusqu'à ce que le fenouil soit agréablement al dente. Enlever le papier d'aluminium, arroser le fenouil du jus de citron, puis saler et poivrer. On peut aussi, si on le désire, couronner chaque morceau d'une petite noisette de beurre. Servir comme légume d'accompagnement avec de la volaille, du veau ou du porc.

purée de fenouil et céléri-rave

POUR **4** PERSONNES

2 bulbes de fenouil
2 céleris-raves

Fish'n'chips

5 gousses d'ail épluchées

Sel

3 c. à soupe de beurre

1 c. à café (1 c. à thé) de jus de citron

Poivre du moulin

Piment d'Espelette séché ou muscade

Parer les bulbes de fenouil et enlever tout le vert. Parer ensuite les céleris-raves. Couper les uns et les autres en gros morceaux et les faire bouillir avec l'ail et le sel. Quand ils sont bien cuits, les égoutter, les assécher en les remettant quelques minutes sur le feu, puis les mettre au robot culinaire. Ajouter beurre, jus de citron et poivre, puis réduire en purée. Verser dans un plat de service bien chaud et parsemer de piment d'Espelette ou de muscade fraîchement râpée. Servir de préférence avec des viandes blanches et de la volaille.

FISH'N'CHIPS

Le meilleur fish'n'chips que j'aie jamais mangé, c'est à Sidney, en Australie, au restaurant Fishmongers de la plage Manly. Il faut dire que tout se prêtait à ce que j'en garde un souvenir vivace : le soleil faisait chatoyer les eaux du Pacifique qui s'étendaient à perte de vue et, autour de moi, étaient attablées de belles Australiennes court-vêtues qui mangeaient avec gourmandise en piaillant comme des mésanges !

Il n'en reste pas moins que les fish'n'chips étaient faits de morue du Pacifique ultra fraîche, floconneuse à souhait, que la pâte à frire était légère et croustillante, que les frites croquaient sous la dent... Tant de délices pour un seul midi, c'était presque insupportablement agréable...

Londres reste tout de même la capitale du fish'n'chips. Voici les meilleurs endroits où en manger là-bas : le Sea Shell sur Lisson Grove dans Northwest 1, le Faulkner's sur Kingsland Road ou le Upper Street Fish Shop au 324 Upper Street...

Il y a évidemment tous les pubs qui servent du fish'n'chips, mais, malheureusement, ils ne sont pas tous extraordinaires... C'est un peu comme notre pâté chinois, tout le monde en fait, mais rares ceux qui sont bons...

On en fait aussi à presque tous les coins de rue... Mais il faut manger debout !

quel poisson choisir pour le fish'n'chips ?

D'abord, il faut qu'il soit ultra frais. La qualité de votre fish'n'chips en dépend.

1er choix : de la morue... les plus gros filets

2e choix : de l'aiglefin... les plus gros filets

3e choix : du colin

 mon fish'n'chips
POUR 2 PERSONNES

la pâte

Environ 65 g (1/2 tasse) de farine

1 jaune d'œuf

Une pincée de sel

2 c. à soupe de bière ou d'eau minérale pétillante

3 c. à soupe d'eau froide

3 c. à soupe de lait

1 blanc d'œuf battu en neige

les chips

500 g (env. 1 lb) de pommes de terre
Huile d'arachide ou de tournesol

le poisson

500 g (env. 1 lb) de morue, d'aiglefin ou
de colin

la pâte

Verser la farine dans un bol à mélanger
assez grand pour recevoir les morceaux de
poisson, ajouter le jaune d'œuf, le sel et la
bière ou l'eau minérale, puis mélanger.
Combiner l'eau et le lait, puis ajouter
lentement ce liquide à la pâte, tout en la
mélangeant jusqu'à ce que la pâte ait la
consistance de la crème 35 %.

Laisser reposer 1 h à température de la
pièce. Au moment d'utiliser, battre le blanc
d'œuf en neige puis, à l'aide d'une spatule,
l'incorporer doucement à la pâte.

les chips

Couper les pommes de terre en longueurs
d'environ 5 x 1 cm (2 x 1/2 po) d'épaisseur
et 1 cm (env. 1/2 po) de largeur… Comme
des frites. Faire chauffer le four à 120 °C
(250 °F) et y mettre une tôle à biscuits
couverte de 3 à 4 épaisseurs de papier
essuie-tout. Verser l'huile dans une sauteuse
pour en avoir de 2 à 3 cm (environ 1 po)
d'épaisseur. La faire chauffer à 190 °C
(375 °F). Bien essuyer les pommes de terre
dans une serviette. Quand l'huile est à la
bonne température, y plonger la moitié des
pommes de terre (toutes, si la sauteuse est

assez grande) et les cuire jusqu'à ce
qu'elles soient bien dorées. Déposer les
chips sur la tôle à biscuits en laissant la
porte du four entrouverte.

le poisson

Couper le poisson en gros morceaux d'environ
13 cm (5 po) x 7,5 à 10 cm (2 à 2 1/2 po).

Plonger chaque morceau dans la pâte,
laisser égoutter légèrement et faire cuire
dans l'huile des pommes de terre. Faire
cuire de 4 à 5 min en tournant les morceaux
une ou deux fois avec deux spatules pour
qu'ils ne collent pas à la sauteuse.

Sortir les morceaux de poisson, puis les
déposer à côté des frites afin qu'ils
s'égouttent bien de leur huile.

Servir dans des assiettes très chaudes
en déposant le poisson au centre de
l'assiette et en l'entourant des chips.
On peut accompagner d'une salade verte.

Les puristes accompagnent leur
fish'n'chips de bière, mais moi, je bois
du vin blanc.

FLÉTAN

Voilà un excellent poisson qu'on trouve dans
toutes nos poissonneries pendant la belle saison. C'est un poisson naturellement assez
fade. C'est pourquoi il faut toujours bien
l'assaisonner. S'il est très frais, de l'huile, du
citron jaune ou vert, et des herbes (de
l'aneth, en particulier) suffisent à lui donner
un goût irrésistible.

flétan au four
POUR 4 PERSONNES

3 poireaux coupés en rondelles d'environ 2 cm (³/4 po)

3 c. à soupe d'huile d'olive mélangée à 1 c. à soupe d'huile de noisette

1 poivron rouge ou orange coupé en tranches de 1 cm (env. ¹/2 po)

2 grosses tomates pelées et coupées en tranches de 1 cm (env. ¹/2 po)

600 g (env. 1 ¹/4 lb) de flétan en filet ou en darnes

2 gousses d'ail émincées

Sel et poivre

1 c. à soupe de thym frais

1 c. à soupe de jus de citron

Préchauffer le four à 230 °C (450 °F).

Laver les poireaux, les couper et les faire revenir à feu doux dans la moitié de l'huile jusqu'à ce qu'ils soient translucides. Réserver. Dans une autre poêle, faire de même avec le poivron et le reste de l'huile. Quand le poivron est tendre, y déposer les tranches de tomate, laisser cuire 2 ou 3 min et réserver. Bien essuyer les darnes ou les filets, puis les débarrasser de leur peau. Mettre la moitié des poireaux et du poivron dans un plat à gratin assez grand pour tout contenir, ajouter la moitié de l'ail, saler, poivrer et saupoudrer d'une partie du thym. Disposer le flétan sur ce lit, arroser du jus de citron, couvrir du reste des poireaux, du poivron et de leur huile de cuisson. Ajouter l'ail, y déposer les tranches de tomate, puis parsemer du thym qui reste. Mettre au milieu du four de 12 à 15 min.

flétan grillé au poivre vert
POUR 2 PERSONNES

1 c. à soupe d'huile d'olive vierge

1 c. à soupe d'huile de noix ou de noisette

Le jus de 1 citron vert

2 darnes de flétan d'environ 2 cm (³/4 po) d'épaisseur ou une seule si elle est très grande

1 c. à soupe de poivre vert grossièrement broyé

Sel

Mélanger les huiles et le jus de citron vert. Avec les doigts, en enduire les darnes de chaque côté, puis mettre le poivre vert concassé. Tapoter encore avec les doigts pour faire pénétrer le poivre, comme on le fait pour du steak au poivre.

Faire griller sous le gril de 4 à 5 min, saler et retourner les darnes. Faire griller encore 3 à 4 min au plus.

Parer les darnes en enlevant l'os et la peau (si, hélas, vous n'aimez pas la peau du poisson…), puis servir dans des assiettes chaudes avec une salade verte ou un légume vert.

 ## joues de flétan poêlées

Même si les mers qui nous baignent offrent des produits semblables à ceux des mers d'Europe, nos poissonneries n'ont pas les mêmes qualités que celles de France ou d'Italie. Elles n'en recèlent pas moins des délices peu connues, mais qu'il faut savoir découvrir. Parmi celles-là, il y a les joues de flétan !

Quelconques lorsqu'elles ont été congelées, les joues fraîches sont une merveille. Comme toutes les joues de poisson, d'ailleurs. Mais celles du flétan sont assez grosses pour qu'on en fasse un vrai repas et pas seulement de quoi nous faire saliver.

Il ne faut surtout pas se mêler de cuisiner les joues de flétan, car on gâte tout. Voici donc la façon de les préparer. Un jeu d'enfant pour un plat de roi.

POUR 2 PERSONNES

1 c. à soupe d'huile d'olive

Une noisette de beurre

Environ 6 à 7 joues, selon la grosseur

Sel et poivre du moulin

1 c. à soupe de cerfeuil ou de persil frais, haché

1 c. à soupe d'huile de noisette ou d'huile d'olive de très grande qualité

1 c. à soupe de jus de citron

Faire chauffer l'huile d'olive et le beurre dans une poêle à poisson. Quand la poêle est bien chaude, y déposer les joues bien épongées. Les faire cuire de 3 à 4 min et, dès qu'elles sont dorées, les retourner et les saler. Faire cuire encore de 3 à 4 min. Les joues doivent être à peine cuites au centre, comme des pétoncles. En fin de cuisson, ajouter le poivre du moulin.

Servir aussitôt dans des assiettes très chaudes, parsemer de cerfeuil ou de persil, arroser d'huile de noisette et de jus de citron. Accompagner d'un légume vert, (haricots, épinards, brocoli ou autre).

FOIE GRAS DE CANARD

Cette recette ressemble à celle que j'ai donnée dans le premier tome de mon livre *Un homme au fourneau*, mais elle diffère quant aux assaisonnements. J'ai fait des dizaines de foie gras entier et je crois être arrivé à un assaisonnement qui rallie tout le monde.

Le foie gras, quoi qu'en disent certains puristes, est assez fade et il a besoin d'être assaisonné, beaucoup plus qu'avec un peu de sel. Enfin, c'est ce que je pense.

Il y a beaucoup de façons d'accompagner le foie gras entier, gelées de canneberges, de groseilles ou autres baies acidulées, mais je trouve qu'une bonne gelée de pommes très peu sucrée constitue un excellent accompagnement avec du pain légèrement grillé. Dans ce cas, essayez un bon cidre de glace. Vous serez étonnés.

Passons aux choses sérieuses : le foie !

foie gras de canard entier
POUR 8 À 10 PERSONNES

1 foie gras de canard de 400 à 600 g (14 oz à env. 1 1/4 lb)

60 ml (1/4 tasse) de bon porto blanc

1 c. à soupe de cognac

1/2 sachet de gélatine

10 à 12 grains de poivre rose moulus grossièrement

2 ou 3 grains de coriandre moulus grossièrement

5 à 6 grains de poivre blanc moulus grossièrement

1 feuille de laurier broyée

Environ le dixième d'une noix de muscade râpée

Foie gras de canard

Une toute petite pincée de cumin en
    poudre
Une toute petite pincée de coriandre
    en poudre
2 ou 3 bonnes pincées de fleur de sel
Une très petite pincée de salpêtre

Si le foie est congelé sous vide, le laisser
dans son emballage et le mettre dans l'eau
très froide jusqu'à ce qu'il soit décongelé.
Le faire tremper ensuite, toujours dans son
emballage, dans de l'eau légèrement tiède
de 2 à 3 h environ. Assécher le foie au
mieux dans un linge, puis avec les doigts,
le débarrasser de son fiel et de tous les
petits vaisseaux sanguins et des nerfs qu'il
contient. La tâche n'est pas facile si l'on ne
veut pas se retrouver avec du foie haché !
On peut s'aider en se passant les mains
plusieurs fois sous de l'eau très froide afin
que le foie ne fonde pas dans ses mains.

Faire chauffer ensemble le porto et le
cognac, puis y dissoudre la gélatine. Dans
un mortier, broyer poivre rose, coriandre,
poivre blanc et laurier. Mélanger avec le
reste des ingrédients, en prendre la moitié
et en frotter délicatement le foie. Prendre la
moitié du reste des ingrédients secs et les
répandre dans une terrine juste assez grande
pour contenir le foie. Y verser ensuite la
moitié de l'alcool et du vin, y déposer le foie,
le saupoudrer du reste des ingrédients secs et
y verser le reste du liquide. Couvrir la terrine
(avec du papier d'aluminium si la terrine
n'a pas de couvercle) et laisser reposer au
réfrigérateur pendant au moins 24 h.

Sortir la terrine du frigo et la laisser à
température de la pièce au moins 2 h. Faire
chauffer le four à 180 °C (350 °F) en y
plaçant une lèchefrite contenant au moins
1 cm (env. 1/2 po) d'eau tiède. Quand le
four est à la bonne température, l'éteindre
et déposer la terrine dans la lèchefrite.
Cuire ainsi à four éteint environ 35 à
45 min, selon que l'on veuille le foie très
rosé ou un peu plus cuit.

Laisser refroidir en enlevant le couvercle
de la terrine, puis garder au réfrigérateur.

Servir à même la terrine ou démouler.
Couper en tranches et accompagner de
pain légèrement grillé et, idéalement, d'une
bonne gelée de pommes maison.

Si l'on tombe sur un bon foie, il ne fondra
pas beaucoup, mais il ne faut pas paniquer
si le foie perd jusqu'à la moitié et plus de sa
substance pour laisser une belle couche de
gras jaune clair. Au moment de servir, on ne
jette surtout pas ce gras absolument délicieux.
On le garde au frigo et on en fait des tartines.
Puis on s'en lèche les doigts jusqu'au prochain
foie gras ou jusqu'à la prochaine crise de foie !

Ainsi préparé, surtout si on ne le
sort pas de sa terrine et que le foie a
suffisamment « fondu » pour être recouvert
d'au moins 0,5 cm (1/4 po) de gras, on peut
le garder au réfrigérateur jusqu'à 6 semaines. Une fois entamé, il faut le rhabiller de
gras aussi bien qu'on le peut et le remettre au
frigo. Il se conservera alors environ 10 jours.

De toute manière, mieux vaut préparer
le foie au moins 2 à 3 jours avant de le
servir afin qu'il prenne toutes ses saveurs.

foie gras de canard poêlé
POUR 2 À 3 PERSONNES

1 foie gras de canard de 400 à 600 g
   (14 oz à env. 1 1/4 lb)
3 c. à soupe de vinaigre de framboise
Fleur de sel
Poivre blanc fraîchement moulu

Parer le foie gras en enlevant avec la pointe d'un couteau d'office le nombril de veines fielleuses, puis le mettre au congélateur pendant environ 30 min. Le sortir et le couper en tranches d'environ 1,2 cm (1/2 po) d'épaisseur. Très froid, il se tranchera bien et, surtout, il ne fondra pas trop lorsqu'il sera poêlé. Réserver. Mettre plusieurs épaisseurs de papier essuie-tout sur une assiette ou sur une plaque de bois.

Faire chauffer la poêle à feu vif et y poêler les tranches de foie gras environ 2 min de chaque côté, jusqu'à ce qu'elles soient joliment dorées. Les déposer sur le papier essuie-tout, puis déglacer la poêle au vinaigre de framboise.

Répartir les tranches dans des assiettes très chaudes, saler, poivrer et les arroser du jus de cuisson. Servir avec des pommes de terre sautées dans de la graisse d'oie ou de canard et une salade verte.

FRAISES

Au Québec, les meilleures fraises, je l'ai déjà dit, nous viennent de l'île d'Orléans. Elles sont petites, mais tout à fait savoureuses. En France, les meilleures, ce sont les gariguettes. Elles viennent d'Aquitaine et se vendent à prix d'or. Mais elles sont incomparables. Meilleures encore que celles de l'île d'Orléans, ce qui n'est pas peu dire.

Saviez-vous que la fraise est l'un des seuls fruits que les diabétiques peuvent se permettre de manger sans problème ? À condition de ne pas les sucrer, évidemment.

Vous faites de l'urticaire et vous voulez manger des fraises ? Rien de plus simple. Pelez-les pour les débarrasser de leurs petits grains ou rincez-les abondamment dans une eau à laquelle vous ajouterez du jus de citron.

comment laver les fraises

Il faut laver les fraises avant de les équeuter, sinon, elles se gorgent d'eau. Dans une grande passoire, sous le robinet. Idéalement, on les égoutte sur un grand linge à vaisselle.

compote fraises et mangue
POUR 4 PERSONNES

1 panier de fraises bien fraîches
1 mangue
1 mandarine ou, à la rigueur, 1 orange
5 c. à soupe de miel
1 bâton de cannelle
1 c. à café (1 c. à thé) d'essence de vanille
   blanche
1/2 c. à café (1/2 c. à thé) d'essence d'amande
1 c. à café (1 c. à thé) de jus de citron
Quelques grains de poivre broyés assez
   finement
2 c. à soupe de kirsch ou d'alcool de
   framboise
Crème chantilly
Amandes effilées

Laver les fraises et les équeuter. Prendre le tiers des fraises et les couper en 2. Les mettre dans un bol et ajouter la chair d'une mangue coupée en dés d'environ 1 cm (env. $1/2$ po). Éplucher une mandarine, la découper en quartiers, les couper en 2 et les ajouter aux fraises et à la mangue. Si l'on remplace la mandarine par une orange, il faut s'assurer de débarrasser les quartiers d'une partie de leur membrane amère.

Dans une cocotte de cuivre ou une cocotte à fond épais, faire fondre le miel. Ajouter le bâton de cannelle, l'essence de vanille et l'essence d'amande ainsi que le jus de citron. Augmenter le feu et déposer les fruits dans la cocotte. Faire cuire à feu assez vif jusqu'à ce que les fraises entières soient presque translucides. Ajouter les grains de poivre et l'alcool, puis retirer du feu.

Servir la compote tiède, nappée d'une grosse cuillerée de crème chantilly sur laquelle on parsème des amandes effilées préalablement rôties sous le gril.

fraises au miel

POUR 4 PERSONNES

1 gros panier de fraises bien fraîches

60 ml ($1/4$ tasse) de miel doux

2 c. à soupe de jus de citron vert

2 c. à soupe de liqueur de fraise ou de framboise

Muscade fraîchement râpée

Environ 250 ml (1 tasse) de crème sure ou de chantilly à peine sucrée

8 feuilles de menthe bien fraîches

Garder 4 fraises avec leur queue. Équeuter les autres fraises, puis les couper en 2 si elles sont très grosses. Mettre les fraises dans un bol de service. Dans un autre bol, mettre le miel, le jus de citron et la liqueur de fraise ou de framboise. Chauffer environ 25 sec au micro-ondes, puis émulsionner légèrement avec une fourchette. Verser à la cuillère sur les fraises, puis saupoudrer de muscade.

Répartir les fraises avec leur jus dans 4 assiettes de service, couvrir de crème sure ou de chantilly à peine sucrée, caler une fraise avec sa queue dans chaque assiette, puis décorer de 2 feuilles de menthe.

FRITTATA

Qu'est-ce qu'une frittata ? C'est une omelette à l'italienne qui se différencie de l'omelette française par les caractéristiques suivantes :

• au lieu de cuire rapidement à chaleur vive, elle cuit très lentement à feu très doux ;

• l'omelette française est baveuse... la frittata ne l'est pas, ce qui ne veut surtout pas dire qu'elle doit être sèche et dure... ;

• l'omelette, on la plie pour qu'elle soit ovale, alors que la frittata reste parfaitement ronde...

frittata à ma façon

POUR 4 PERSONNES

10 g ($1/4$ tasse) de champignons sauvages séchés ou 80 g (1 tasse) de champignons de Paris

115 g ($1/4$ lb) de lard salé maigre ou de jambon coupé en petits dés

1 grosse pomme de terre ou 2 moyennes
3 ou 4 c. à soupe d'huile de tournesol
40 g (1/4 tasse) d'oignon coupé en petits dés
1 gousse d'ail hachée finement
8 œufs bien frais
Sel et poivre du moulin
Une pincée d'herbes de Provence
2. c. à soupe de parmesan fraîchement râpé

Faire tremper les champignons séchés au moins 3 à 4 h dans environ 125 ml (1/2 tasse) d'eau.

Faire dessaler le lard au moins 4 h dans un grand bol d'eau froide. Bien essuyer le lard, puis le couper en petits dés. Dans une grande poêle, faire cuire les dés de lard à feu doux.

Pendant ce temps, faire bouillir la pomme de terre avec sa pelure environ 12 min, mais elle doit demeurer al dente. La refroidir rapidement sous l'eau froide, la peler, puis la couper en dés. Réserver.

Si l'on utilise des champignons de Paris, les peler, les couper en lamelles et les faire cuire à feu vif dans une poêle dans laquelle on a mis 1 c. à soupe d'huile. À mi-cuisson, ajouter 125 ml (1/2 tasse) d'eau, faire évaporer l'eau à feu très vif, puis réserver.

Si l'on utilise des champignons séchés, garnir une petite passoire d'une feuille de papier essuie-tout, puis filtrer l'eau dans laquelle ont trempé les champignons. Mettre les champignons séchés dans la passoire, les laver à grande eau sous le robinet, puis les assécher dans un linge ou une serviette. Cuire à feu vif comme les champignons de Paris. À mi-cuisson, ajouter l'eau dans

laquelle les champignons ont trempé, puis faire évaporer à feu vif. Réserver.

Si l'on utilise du jambon, mettre 1 c. à soupe d'huile dans une poêle et y faire revenir rapidement les dés à feu vif. Lorsque les dés de lard ou de jambon sont dorés, ajouter l'oignon et, toujours à feu vif, faire cuire en remuant avec deux cuillères en bois. Au bout de 2 à 3 min, ajouter les dés de pommes de terre et continuer à cuire à feu vif. Deux ou 3 min plus tard, ajouter l'ail et les champignons, faire cuire 1 ou 2 min et réserver.

Casser les œufs dans un cul-de-poule, les battre vigoureusement avec un fouet pendant 1 min, ajouter 80 ml (1/3 tasse) d'eau et battre encore vigoureusement pendant 1 min. Ajouter sel, poivre et herbes de Provence, puis battre encore quelques secondes.

Dans une poêle à omelette, mettre 1 ou 2 c. à soupe d'huile et faire chauffer à feu assez vif. Quand l'huile est chaude, baisser à feu doux et verser les œufs battus dans la poêle. Laisser cuire au moins 3 à 4 min à feu doux, puis répartir sur les œufs le lard ou le jambon ainsi que les pommes de terre, l'oignon et les champignons.

Continuer à cuire à feu doux environ 12 min. Quand l'omelette est cuite et qu'il ne reste plus au centre que de l'œuf mollet, répartir le parmesan sur l'omelette.

Transférer l'omelette sur une assiette de service chaude et servir en la coupant en pointes comme on le ferait pour une pizza.

Si on le désire, après avoir mis le fromage, on peut faire gratiner l'omelette 1 ou 2 min sous le gril avant de la servir.

Gâteau

Gougères

GÂTEAU

Depuis que Maryse est dans la cuisine avec moi, c'est souvent elle qui fait les gâteaux. Elle y excelle, et moi, je m'ennuie un peu à les faire. Sauf cette magnifique recette de gâteau aux fruits que je ne cesse d'agrémenter de toutes sortes de nouvelles variétés de fruits confits.

 ### gâteau aux fruits d'Edgar Dubé

*C'est mon confrère et ami, le D*r *Edgar Dubé, qui fait chaque année ce délicieux gâteau aux fruits. Il tient la recette d'une certaine Margaret, une vieille Irlandaise qui demeurait dans le Bas-du-Fleuve au début du siècle dernier.*

DONNE 14 GÂTEAUX DE 8 x 15 CM (3 x 6 PO)
230 à 340 ml (8 à 12 oz) de cognac de
   bonne qualité

les fruits secs et confits

1,3 kg (3 lb) de raisins secs sans pépins
   (raisins foncés)
450 g (1 lb) de raisins de Corinthe
450 g (1 lb) de cerises glacées (confites),
   chacune coupée en 4
450 g (1 lb) de dattes sans noyau et
   coupées en morceaux

450 g (1 lb) de divers fruits confits coupés
   en morceaux

le mélange de beurre

450 g (1 lb) de beurre doux
700 g (3 tasses) de cassonade foncée
12 œufs

les ingrédients secs

780 g (6 tasses) de farine
2 c. à café (2 c. à thé) de muscade
2 c. à café (2 c. à thé) de cannelle
1 c. à café (1 c. à thé) de macis
1 c. à café (1 c. à thé) de clou de girofle
   moulu
1 c. à café (1 c. à thé) de bicarbonate de
   soude
3 c. à café (3 c. à thé) de levure chimique

les autres ingrédients

250 ml (1 tasse) de mélasse foncée
250 ml (1 tasse) de café fort à température
   de la pièce
250 ml (1 tasse) de gelée de pommettes ou
   de groseilles

les fruits secs et confits

Laisser macérer tous les fruits dans le
cognac au moins 24 h.

le mélange de beurre

Ramollir le beurre, puis y incorporer la cassonade. Battre jusqu'à ce que le mélange soit léger. Y ajouter les œufs bien battus, chacun séparément.

les ingrédients secs

Mélanger tous les ingrédients secs, puis les tamiser trois fois, les incorporer graduellement au mélange de fruits, puis au mélange de beurre et de cassonade.

les autres ingrédients

Ajouter les autres ingrédients. Quand le mélange est bien homogène, le verser dans des moules à pain bien tapissés de papier kraft ou de papier sulfurisé. Couvrir le mélange du même type de papier.

Dans un four chauffé à 120 °C (250 °F), placer un contenant d'eau bouillante, puis y faire cuire les gâteaux pendant 3 h. Les découvrir et faire cuire encore 1 h.

gâteau aux noix

Ce gâteau est inspiré d'une recette de Julia Child, cette Américaine sans qui nos voisins du Sud mangeraient sans doute encore comme à l'époque du Far West. C'est un excellent gâteau pour accompagner une salade de fruits ou encore des fruits frais comme les fraises ou les framboises.

DONNE 1 GÂTEAU DE 21 CM (8 PO) DE DIAMÈTRE

115 g (½ tasse) de beurre doux
Le zeste de 1 orange
60 ml (¼ tasse) de jus d'orange

2 c. à soupe de Grand Marnier ou de Cointreau
¼ c. à café (¼ c. à thé) d'essence d'amande
½ c. à café (½ c. à thé) d'essence de coco
3 jaunes d'œufs
105 g (½ tasse) de sucre
110 g (¾ tasse) d'amandes blanchies
65 g (½ tasse) de farine tout usage tamisée

les blancs d'œufs

3 blancs d'œufs
Une pincée de sel
¼ c. à café (¼ c. à thé) de crème de tartre
1 c. à soupe de sucre cristallisé
Une bonne quantité de sucre en poudre pour décorer

Préchauffer le four à 180 °C (350 °F).

Faire fondre le beurre sans trop le chauffer et réserver. Bien laver l'orange et en découper le zeste avec un couteau économe. Couper le zeste très finement au couteau d'office. Faire mariner le zeste dans le Grand Marnier et les essences pendant environ 10 min.

Pendant ce temps, battre les jaunes d'œufs dans un grand bol et ajouter le sucre graduellement. Lorsque le mélange est bien crémeux, ajouter graduellement le zeste et le jus d'orange, ainsi que les amandes pulvérisées. Ajouter ensuite la farine que l'on aura tamisée une deuxième fois.

les blancs d'œufs

Dans un autre bol, battre les blancs d'œufs en neige en y ajoutant sel et crème de tartre. Quand les blancs commencent

à former des pics, ajouter le sucre cristallisé, puis battre jusqu'à ce que les pics soient fermes.

Avec une spatule en bois, incorporer le beurre fondu – qui est maintenant à température de la pièce – au mélange à gâteau, puis amalgamer le quart des blancs d'œufs avant d'incorporer délicatement tout le reste des blancs.

Mettre dans un moule et cuire au four de 20 à 25 min.

Quand le gâteau est cuit, le laisser refroidir et le servir sans autre décoration qu'une bonne quantité de sucre en poudre.

GOUGÈRES

Les gougères sont ces petites pâtisseries au gruyère dont les Français sont si friands comme amuse-gueules. Ils n'ont pas tort, d'ailleurs, car les gougères ont le grand mérite de ne pas trop couper l'appétit. Avec un verre de champagne, elles font saliver !

 gougères de Mimi Bouthenet

C'est chez ma sœur Hughette que j'ai mangé ces gougères pour la première fois. Même si elle est bonne cuisinière, ma sœur a une petite tendance à la paresse, côté cuisine. Comme j'étais étonné qu'elle ait pris la peine de faire des gougères, je lui ai demandé de qui elle tenait la recette.

De sa belle-sœur française, qui est aussi la mienne, et qui, elle, la tenait de Mimi Bouthenet, une amie de sa mère Madeleine.

DONNE 25 À 40 GOUGÈRES, SELON LA GROSSEUR

Faire bouillir 1 ½ verre d'eau avec du sel et 1 grosse cuillerée de beurre, jeter d'un coup 1 ½ verre de farine et tourner pour dessécher la pâte, à feu doux. Hors du feu, ajouter 3 œufs battus, un par un, en mélangeant bien entre chaque œuf. Ajouter 100 g (3 ½ oz) de cubes de fromage, former de petites boules et cuire 10 min au four à 230 °C (450 °F), puis de 10 à 15 min à 200 °C (400 °F).

Servir tiède.

Hareng
Haricots
Homard

HARENG

Il n'y a pas si longtemps, il y avait dans l'Atlantique et le Pacifique des milliards de harengs, tellement, qu'à l'occasion, la mer avait de vastes reflets argentés qui n'étaient rien d'autre que d'immenses bancs de harengs.

Manger du hareng, c'est comme manger de l'histoire ! On a trouvé des fossiles de hareng dans les ruines de maisons scandinaves qui datent de 3000 ans avant J.-C.

En France, il y a même eu la bataille du hareng. À Orléans, les soldats anglais se cachèrent dans des barils de hareng. Croyant qu'ils étaient pleins de poissons, les Français s'en saisirent et ils eurent la surprise de leur vie lorsqu'ils virent les Anglais sortir des barils et réussir à les maîtriser.

Jeanne d'Arc a fini par vaincre les Anglais, mais l'histoire ne dit pas si elle mangeait du hareng... Elle devait.

Pour vous donner une petite idée de l'importance du hareng, au 17e siècle, la Hollande seulement avait une flotte de pêche aux harengs qui comptait 16 000 bateaux !

Une des façons dont je préfère le hareng, c'est sous forme de kipper. Les kippers sont des filets légèrement salés — on les fait tremper 10 min dans la saumure —, puis on les fume à froid tout aussi légèrement pendant quelques heures. On les vend sous vide, congelés ou en conserve.

Les harengs Bismark sont des harengs marinés dans le vinaigre avec des rondelles d'oignon. Et quand on les enroule et qu'on les transperce d'un cure-dent, on les appelle rollmops !

filets de hareng à ma manière

POUR 2 PERSONNES

60 ml (¼ tasse) d'huile d'olive ou de tournesol mélangée avec un peu d'huile de noix ou de noisette
1 oignon jaune coupé en rondelles minces
1 gousse d'ail émincée
4 carottes coupées en rondelles d'environ 1 cm (env. ½ po) d'épaisseur
Quelques gouttes de tabasco ou de sauce mexicaine
Sel et poivre du moulin
Un petit bouquet de persil haché assez finement
1 boîte de filets de hareng de 190 g (6 ½ oz) légèrement fumés

Mettre l'huile dans une petite cocotte, ajouter l'oignon, l'ail et les carottes, les quelques gouttes de tabasco, le sel et le poivre, couvrir et faire cuire lentement à feu très doux. Ni les carottes ni l'oignon ne doivent rôtir. Dès que ces légumes sont al dente, ajouter le persil.

Déposer les filets dans une assiette chaude, recouvrir des légumes et de l'huile, et servir avec une pomme de terre nature.

HARICOTS

Les haricots, qu'on doit absolument acheter en saison, sont de merveilleux légumes d'accompagnement, en plus de faire de bonnes entrées.

Il faut prendre soin de toujours les acheter bien frais. S'ils ne cassent pas entre les doigts avec un petit bruit sec, ils ne sont pas assez frais. C'est encore plus vrai des haricots jaunes qui se fanent bien vite.

En accompagnement ou en entrée, les haricots verts ou jaunes n'ont pas besoin d'autre apprêt que d'un mélange d'huile, de beurre et de jus de citron, assaisonné d'ail haché finement, de sel, de poivre et de feuilles de marjolaine. Vous n'en avez pas ? Remplacez la marjolaine par du thym frais effeuillé ou encore de la sarriette d'été. C'est tout, n'en faites pas plus.

 haricots verts et oignon rouge

POUR 4 PERSONNES

1 kg (2 ¼ lb) de haricots verts bien frais
2 c. à soupe d'huile de noix ou de noisette
Une noix de beurre
1 oignon rouge coupé en fines rondelles
1 gousse d'ail émincée finement

125 ml (½ tasse) de vermouth blanc extra-dry
2 bouquets de romarin frais ou de
   marjolaine fraîche
Sel et poivre du moulin

Parer les haricots en enlevant les extrémités et les fils, s'il y a lieu. Laver à l'eau fraîche et égoutter. Mettre l'huile et le beurre dans une grande sauteuse et y faire revenir les rondelles d'oignon et l'ail jusqu'à ce que l'oignon soit tendre. Ajouter les haricots, le vermouth, le romarin ou la marjolaine, le sel et le poivre, couvrir et cuire à feu doux jusqu'à ce que les haricots soient al dente, soit environ 15 min. S'il y a trop de jus au moment de servir, enlever le couvercle et laisser réduire.

HOMARD

Depuis que j'ai dit tout le bien que je pensais des femelles du homard et répété à satiété qu'elles avaient l'avantage de regorger d'œufs, je dois réserver mes homards à l'avance. Surtout à la Poissonnerie Cowie de Granby dont toute la clientèle m'a pris au mot.

Mais n'allez pas croire que je « crache » sur les mâles. Ils sont souvent plus gros et plus charnus.

Si, à l'occasion, vous utilisez du homard en conserve et surgelé, voici la seule façon acceptable de le décongeler. Ouvrir la boîte sur ses deux faces, en sortir le homard, le mettre dans une écumoire au-dessus d'un bol et le faire décongeler ainsi au frigo en le couvrant d'une serviette humide pour que l'odeur de homard ne parfume pas tous les aliments du frigo. Calculez environ 24 h. De cette façon, la chair du homard ne s'imbibera pas d'eau et vous aurez du homard presque aussi bon que si vous veniez de le faire cuire.

 ramequins de homard frais et caviar d'esturgeon

POUR 6 PERSONNES

1 homard vivant d'environ 1 kg (2 ¼ lb)
Court-bouillon ou eau bouillante bien salée
Sel et poivre
4 c. à soupe de mayonnaise maison
1 c. à soupe de sauce cocktail aux tomates ou de ketchup
250 ml (1 tasse) de vermouth blanc extra-dry
3 petits oignons verts émincés finement
60 ml (¼ tasse) de jus de palourde
125 ml (½ tasse) de crème 28 ou 35 %
2 c. à soupe de beurre
1 c. à café (1 c. à thé) de fécule de maïs délayée dans 2 c. à soupe d'eau chaude
Beurre
2 à 3 tranches de pain sans croûte découpées en mouillettes d'environ 6 x 1 cm (2 ½ x ½ po)
Huile d'olive
6 œufs de caille
1 c. à soupe de poivre rose grossièrement haché
Environ 100 g (3 ½ oz) de caviar d'esturgeon
6 petits bouquets de persil ou de cerfeuil

Faire cuire le homard dans un court-bouillon ou dans de l'eau bouillante salée. Le laisser chambrer, extraire la chair et la couper en petits dés. Lorsque la chair est à température de la pièce, saler légèrement, poivrer et incorporer la mayonnaise et la sauce cocktail ou le ketchup déjà mélangés. Répartir la chair de homard ainsi préparée dans les ramequins et réserver.

Mettre le vermouth et les oignons verts émincés dans une cocotte et laisser réduire de moitié à feu moyen. Retirer du feu, ajouter le jus de palourde, la crème et le beurre. Remettre à feu très doux afin de faire épaissir légèrement la sauce. Quand elle a épaissi, ajouter la fécule et laisser la sauce à feu très doux jusqu'au moment de l'utiliser.

Beurrer des mouillettes, puis les mettre à four chaud sur une grille jusqu'à ce qu'elles soient dorées. Réserver.

Badigeonner la poêle d'huile d'olive, puis y faire cuire les œufs de caille.

Pendant que les œufs cuisent, ajouter le poivre rose à la sauce chaude et mettre une bonne cuillerée de sauce dans chacun des ramequins. Utiliser des ramequins d'environ 6 à 8 cm (2 ½ à 3 po) de diamètre.

Quand les œufs de caille sont cuits, en déposer un dans chaque ramequin en faisant en sorte que le jaune se trouve bien au centre du ramequin. Ajouter le caviar à la sauce, mélanger rapidement à la cuillère et déposer un généreux cordon de sauce sur le blanc des œufs pour que seul le jaune soit apparent.

Déposer chaque ramequin dans une assiette avec une petite cuillère (en argent, de préférence), y disposer les mouillettes, décorer d'un bouquet de persil ou de cerfeuil et servir immédiatement comme entrée.

Servir avec un bon riesling ou un gewurztraminer.

Jambonneau

JAMBONNEAU

Les meilleurs jambonneaux que je connaisse au Québec sont ceux du bon M. Picard de la Charcuterie de Sainte-Brigide, 567, rue des Érables, au (450) 293-5402. Pourquoi sont-ils si bons ? Le porc qu'il emploie est de première qualité et il fume lui-même les jarrets.

 jambonneau à la choucroute

Pour cuisiner un jambonneau, on le fait d'abord tremper 7 ou 8 h dans l'eau froide, puis on l'égoutte et on l'assèche.

Deux heures avant la fin de la cuisson de la choucroute (voir recette p. 54), on y enfouit le jarret. Il ne reste plus qu'à déguster le tout en bonne compagnie.

Kaki
Kibbeh

KAKI

Les kakis sont sans doute les fruits les plus méconnus des Québécois. Dans la plupart de nos fruiteries, on les vend même sans renseigner la clientèle, si bien que plusieurs n'ont que faire de ces fruits à la chair râpeuse et si amère avant que le fruit atteigne sa pleine maturité.

Les meilleurs kakis viennent d'Italie, mais j'ai acheté des kakis importés du Brésil chez Louis, au Marché Jean-Talon, qui étaient délicieux.

Le kaki, pour ceux qui ne le connaissent pas, a à peu près la grosseur d'une orange et est recouvert d'une peau qui s'apparente à celle de la tomate jaune. Le kaki est à maturité lorsqu'il cède sous la pression du bout du doigt et que sa peau commence à faner. Avant, il est presque immangeable.

On place le kaki sur son pédoncule et on le coupe en 2 avec un couteau bien tranchant. On renverse chaque demi dans une assiette, on l'arrose de jus de citron vert et on le mange à la cuillère en prenant soin de ne pas manger la peau qui est très revêche, malgré sa minceur. Au petit-déjeuner le matin, c'est un ravissement.

Le kaki ne se prête guère à la préparation des desserts, mais on peut l'apprêter en sorbet. Il faut alors l'acheter très mûr, en extraire la chair avec une cuillère, la passer au robot culinaire, puis au tamis et procéder par la suite comme on le ferait avec n'importe quel sorbet qu'on fait avec du sirop à 28 degrés (voir tome I, p. 342).

KIBBEH

Au Moyen-Orient, en particulier en Syrie et au Liban, c'est l'équivalent de notre tartare. Là-bas, c'est presque un « plat national » et chacun se targue d'avoir LE secret pour faire un bon kibbeh. Les femmes aux longs doigts sont celles, dit-on, qui font le meilleur kibbeh. Blanche, ma femme libanaise, avait de très longs doigts...

Par tradition, on prépare le kibbeh dans un grand mortier de métal ou un mortier de pierre avec un pilon très lourd qu'on fait résonner de manière aussi régulière qu'un tocsin. Quand il reste du kibbeh, on en fait des boulettes ou de petits pâtés qu'on fait griller ou frire comme du steak haché.

l'authentique kibbeh

POUR 3 À 4 PERSONNES

450 g (1 lb) d'agneau bien tendre coupé
  en cubes
Sel
1 gousse d'ail émincée très finement
1 oignon jaune
Poivre du moulin

Kibbeh

170 g (1 tasse) de boulghour fin
1 c. à soupe de jus de citron

On peut écraser la viande au mortier avec un peu de sel et d'ail jusqu'à l'obtention d'une « pâte » de viande ou, c'est ce que je fais n'ayant ni la patience ni le mortier qu'il faut, mettre les cubes de viande dans le robot culinaire.

Mettre l'oignon haché assez finement au robot avec l'ail et réduire en purée. Ajouter la viande, le sel et le poivre, puis réduire en pâte en ajoutant quelques cuillerées d'eau froide de manière à obtenir une belle pâte bien lisse. Réserver dans un grand bol.

Rincer le boulghour dans un tamis et l'essorer vigoureusement avec les mains. Toujours avec les mains, bien incorporer le boulghour à la pâte de viande. Rectifier l'assaisonnement en sel et poivre.

Pour servir, on fait un beau pâté de kibbeh d'environ 1 cm (env. 1/2 po) d'épaisseur et on le présente dans des assiettes individuelles, arrosé d'un peu de jus de citron. On l'accompagne d'une salade verte.

Lotte

LOTTE

La lotte, qu'on appelle aussi baudroie, est un véritable monstre marin. Elle est si laide avec sa grosse tête de crapaud et sa queue démesurément grosse que la plupart des pêcheurs, jusqu'à ces dernières années, la rejetaient à la mer comme si elle pouvait leur jeter un mauvais sort. D'ailleurs, certains pêcheurs la surnomment le « diable de mer ».

Aujourd'hui, le poisson devenant de plus en plus rare, on vend la lotte, mais les pêcheurs prennent grand soin de lui couper la tête et la queue au plus vite afin de n'en conserver que le corps, flasque et rond. Et c'est ce qui reste qu'on appelle queue de lotte, même si la vraie queue a été coupée dès le départ.

La lotte est pourtant un poisson délicieux qui a à peu près la consistance de l'anguille sans en avoir le côté gras et huileux. Si la lotte a un goût bien particulier, c'est sans doute parce qu'elle mange n'importe quoi : des crustacés, des poissons, des oiseaux et jusqu'aux petites bouées en bois qui servent à la pêche au homard !

lotte à la marocaine

Toute la préparation prend à peine une petite heure.

POUR 2 PERSONNES

1 queue de lotte bien fraîche, d'environ 600 g (env. 1 ¼ lb)

2 c. à soupe d'huile de noix ou de noisette

½ oignon coupé en fines rondelles de 0,5 cm (¼ po)

2 c. à soupe de raisins secs

40 g (¼ tasse) de pignons ou de noix de cajou nature, légèrement rôtis

½ poivron rouge, épépiné et coupé en fines lanières

½ poivron vert, épépiné et coupé en fines lanières

Sel et poivre du moulin

2 c. à soupe de vermouth blanc extra-dry (qu'on peut remplacer par du vin blanc ou du jus de palourde ou encore par du fumet de poisson)

2 tomates fraîches, pelées, épépinées et coupées en petits cubes

125 ml (½ tasse) de jus de palourde ou de fumet de poisson

1 c. à café (1 c. à thé) de zeste de citron haché finement

1 gousse d'ail hachée finement

Quelques gouttes de tabasco, de harissa
ou de sauce mexicaine

Un petit bouquet de coriandre fraîche,
hachée assez grossièrement

le couscous

125 g (4 ½ oz) de couscous fin
ou moyen

Environ 250 ml (1 tasse) de bouillon de
poulet ou de légumes bouillant ou
encore d'eau bouillante

Couper la lotte en grosses rondelles d'environ
3 cm (1 ¼ po) et réserver. Faire chauffer
l'huile dans une sauteuse, y mettre quelques
rondelles d'oignon et les faire suer à feu
doux en remuant. Ajouter les raisins et les
faire gonfler, ajouter les pignons ou les noix
de cajou, remuer 1 min, puis enlever le tout
avec une cuillère à trous de façon à garder
un maximum d'huile dans la sauteuse.
Réserver au four chaud.

Augmenter le feu, verser dans la sauteuse
le reste de l'oignon et les lanières de poivron,
saler et poivrer légèrement. Faire cuire
jusqu'à ce que tout soit al dente en remuant
de temps à autre. Ajouter le vermouth et
laisser réduire de moitié. Ajouter les tomates
et le jus de palourde ou le fumet de poisson,
le zeste de citron, l'ail et le tabasco, puis
continuer de cuire de 6 à 8 min en remuant
délicatement pour ne pas briser les légumes.
Ajouter la lotte à la préparation, couvrir à
demi et faire cuire environ 4 min. Retourner
la lotte et faire cuire encore 4 min.

le couscous

Dès que la lotte est au feu, préparer le
couscous de la façon suivante : mettre le
couscous dans un saladier, ajouter le
bouillon ou l'eau bouillante et mélanger une
ou deux fois avec deux fourchettes. Laisser
gonfler 10 min. Aérer à la fourchette, puis
répartir dans les assiettes. Déposer sur le
couscous les oignons, les raisins et les noix
qui avaient été réservés, puis ajouter la
lotte et ses légumes. Décorer d'un bouquet
de coriandre.

lotte à ma façon

POUR 2 PERSONNES

1 queue de lotte d'environ 300 g (⅔ lb)

1 c. à soupe de jus de citron

2 tomates

2 oignons jaunes

1 poivron vert

80 ml (⅓ tasse) d'huile d'olive

Sel au goût

1 piment oiseau ou moins, au goût

1 gousse d'ail hachée finement

1 c. à café (1 c. à thé) d'herbes de Provence

160 ml (⅔ tasse) de bouillon de poulet
ou de veau

Pour parer la lotte, enlever toute la peau
noire, s'il en reste, enlever aussi les
quelques couches de peau transparente.
Ôter l'épine dorsale et couper la lotte en
tronçons d'environ 2,5 x 2,5 cm (1 x 1 po).
Arroser du jus de citron et réserver.

Peler les tomates, les épépiner, puis les
couper en dés. Réserver. Éplucher les

oignons et les couper en dés. Parer le poivron vert, puis le couper en dés.

Mettre l'huile dans une sauteuse et faire chauffer à feu assez vif. Ajouter les oignons et cuire jusqu'à ce qu'ils soient tendres. Ajouter le poivron, saler, puis ajouter le piment oiseau broyé ainsi que l'ail et les herbes de Provence. Quand le poivron est tendre, ajouter les tomates et cuire de 1 à 2 min. Ajouter le bouillon et faire réduire de moitié. Augmenter à feu vif, ajouter les tronçons de lotte et cuire environ 4 min, retourner les tronçons et cuire encore environ 3 min.

Servir tel quel dans des assiettes chaudes. On peut accompagner ce plat d'une salade verte ou de riz vapeur.

lotte aux olives et aux pignons

POUR 2 PERSONNES

2 à 3 c. à soupe d'huile d'olive ou de tournesol

1/2 oignon jaune coupé en dés

Le tiers d'un poivron vert coupé en dés

Le tiers d'un poivron jaune ou orange coupé en dés

2 gousses d'ail finement hachées

Le zeste de 1/3 de citron haché finement

2 tomates fraîches, pelées, épépinées et coupées en gros dés

Sel et poivre du moulin

2 grosses c. à soupe de farine mélangées à 1/4 c. à café (1/4 c. à thé) de curcuma moulu et à 1/4 c. à café (1/4 c. à thé) de cumin moulu

1 queue de lotte bien fraîche d'environ 300 g (2/3 lb), coupée en rondelles d'environ 2 cm (3/4 po) d'épaisseur

Quelques gouttes d'huile

8 à 10 olives noires dénoyautées (sans vinaigre)

40 g (1/4 tasse) de pignons rôtis au four ou dans la poêle

2 c. à soupe de coriandre fraîche, grossièrement hachée

Faire chauffer l'huile dans une grande poêle ou une grande sauteuse, à feu moyen, puis y faire cuire les oignons et les poivrons. Quand ils commencent à être tendres, ajouter l'ail, le zeste de citron et les tomates, puis saler et poivrer. Toujours faire cuire à feu moyen, jusqu'à ce que le liquide des tomates et des légumes ait réduit d'environ la moitié. Pendant ce temps, enfariner les morceaux de lotte.

Mettre tous les légumes autour de la sauteuse, augmenter un peu le feu, ajouter quelques gouttes d'huile au centre de la sauteuse et y faire cuire les morceaux de lotte de 3 à 4 min de chaque côté. Une ou 2 min avant que la lotte soit cuite, ajouter les olives et les pignons ainsi que la coriandre.

Servir immédiatement dans des assiettes très chaudes sans autre accompagnement.

lotte en travesti

Plus je mange de la lotte, plus je découvre ce poisson d'une extraordinaire polyvalence. C'est d'ailleurs l'un des rares poissons auquel on peut donner un goût de

viande sans le dénaturer. Je n'aime guère, vous le savez, changer la nature des aliments, mais il y a des cas où le plaisir de le faire n'a d'égal que la surprise qu'on éprouve lorsque l'on goûte.

C'est tout à fait par hasard, parce qu'il me restait un fond de poulet, que j'ai réussi cette recette que je vous recommande sans réserve... surtout si le goût ou l'odeur du poisson ne vous font pas saliver.

POUR 2 PERSONNES

2 c. à soupe d'huile d'olive
1 oignon jaune coupé en rondelles
1 gousse d'ail émincée finement
60 ml (¼ tasse) de fond de poulet ou de veau
125 ml (½ tasse) de bouillon de poulet
2 c. à soupe de vermouth extra-dry
¼ c. à café (¼ c. à thé) de sauce à brunir du commerce
1 c. à café (1 c. à thé) de sauce HP fruitée
½ c. à café (½ c. à thé) d'herbes de Provence
Sel et poivre du moulin
1 c. à soupe de beurre manié (farine mélangée avec du beurre)
1 c. à café (1 c. à thé) de jus de citron
1 queue de lotte d'environ 300 g (⅔ lb)

Dans une sauteuse ou une poêle, faire chauffer l'huile d'olive et y mettre les rondelles d'oignon. Faire cuire à feu moyen jusqu'à ce que les oignons soient bien dorés (si quelques rondelles ont bruni, c'est encore mieux). Mettre l'ail, cuire 1 ou 2 min, ajouter le fond de poulet ou de veau ainsi

que le bouillon et le vermouth. Remuer, puis couvrir. Quand la sauce bout, ajouter la sauce à brunir, la sauce HP et les herbes, poivrer et saler au goût. Mettre le beurre manié et fouetter légèrement. Ajouter le jus de citron. Laisser réduire d'environ la moitié. On peut retirer du feu et laisser attendre le temps nécessaire, mais couvrir la poêle ou la sauteuse.

Une quinzaine de minutes avant de servir, parer la lotte : bien enlever la peau noire s'il en reste, enlever aussi les quelques membranes transparentes qui adhèrent à la chair. Enlever l'épine dorsale et couper la lotte en tronçons d'environ 2,5 x 2,5 cm (1 x 1 po).

Mettre la sauce à feu vif jusqu'à ce qu'elle commence à faire des bouillons (si on l'a laissée attendre), puis ajouter les morceaux de lotte en une seule rangée. Couvrir et cuire environ 5 min. Retirer le couvercle, tourner les morceaux et cuire environ 5 min encore jusqu'à ce que la lotte soit cuite. Pour cette dernière cuisson, ne pas mettre de couvercle. Le remettre seulement si la sauce réduit trop.

Servir dans des assiettes très chaudes avec une purée de céleri-rave bien assaisonnée de piment d'Espelette ou de muscade ou une purée de pommes de terre.

ragoût de lotte et de fruits de mer

C'est une vieille recette normande que j'ai trouvée dans un livre de l'excellent chef britannique Terence Conran. Louise Deschâtelets me l'avait chaudement recommandée. J'y ai évidemment ajouté ma griffe, mais on en doit l'essentiel aux bonnes vieilles mamans de Normandie.

POUR 4 À 5 PERSONNES

1 kg (2 ¼ lb) de lotte

1 kg (2 ¼ lb) de moules bien fraîches

Environ 35 g (¼ tasse) de farine

80 ml (⅓ tasse) de vermouth blanc extra-dry

80 g (⅓ tasse) de beurre

1 c. à soupe d'huile de noix ou de noisette

2 oignons jaunes hachés finement

2 à 3 gousses d'ail tranchées en lamelles fines

1 sachet de bon safran

Le jus de ½ citron

Sel et poivre du moulin

36 crevettes de Matane déjà cuites ou
    24 crevettes décortiquées

160 ml (⅔ tasse) de chair de crabe des
    neiges ou de crabe ordinaire déjà cuit ou
    encore de crabe en conserve bien égoutté

2 c. à soupe de cerfeuil ou de persil haché

Pour parer la lotte, bien enlever la peau noire, s'il en reste, puis enlever les quelques couches de peau transparente. Enlever l'épine dorsale et couper la lotte en tronçons d'environ 2,5 x 2,5 cm (1 x 1 po). Réserver.

Faire tremper les moules environ 1 h dans un grand bol d'eau additionnée de la moitié de la farine. Bien brosser les moules et les ébarber.

Dans une grande casserole, mettre à bouillir à feu vif 60 ml (¼ tasse) d'eau et 1 c. à soupe de vermouth. Dès que ça bout, ajouter les moules, couvrir et remuer deux ou trois fois jusqu'à ce que les moules s'ouvrent. Retirer du feu et laisser refroidir. Enlever les coquilles des moules et réserver, mais garder 2 moules entières par personne afin de décorer les assiettes. Réserver aussi le liquide de cuisson.

Prendre la moitié du beurre et le reste de farine et préparer un beurre manié en mélangeant bien la farine avec le beurre.

Dans une casserole, faire fondre le reste du beurre à feu moyen, ajouter l'huile, puis y faire suer les oignons jusqu'à ce qu'ils soient translucides et ajouter l'ail. Verser le jus de cuisson des moules, le reste du vermouth auquel on a ajouté le safran, puis le jus de citron. Augmenter le feu. Quand le liquide bout, ajouter le beurre manié et brasser au fouet. Laisser épaissir la sauce. Saler et poivrer au goût.

Lorsque la sauce a épaissi, y déposer les morceaux de lotte. Cuire de 4 à 5 min d'un côté, puis les retourner. (Ajouter alors les crevettes si elles ne sont pas déjà cuites.) Si la sauce a tendance à trop diminuer, couvrir la casserole pour cette deuxième partie de la cuisson. Cuire encore de 4 à 5 min ou jusqu'à ce que la lotte soit presque entièrement cuite, puis ajouter les crevettes de Matane, s'il y a lieu, les moules et la chair de crabe. Dès que les fruits de mer sont brûlants, retirer du feu. Saupoudrer de cerfeuil ou de persil.

Servir dans des assiettes creuses très chaudes et accompagner de toasts au pain de seigle coupés en triangle.

Maamouls

Magret

Mangue

Maquereau

Marmelade

Mérou

Morue

Moussaka

MAAMOULS

Avec les baklavas, les maamouls sont sûrement les gâteaux qui viennent du Proche-Orient qui réunissent toutes les qualités pour vous faire faire les pires péchés de gourmandise.

Là-bas, dans toutes les maisons, les maamouls font partie des délices que réservent les mamans aux enfants sages et constituent sans doute les gâteaux les plus fréquemment piqués par les enfants qui ne le sont pas !

Là-dessus, comme pour les baklavas, ma femme d'origine libanaise n'a jamais accepté les licences que je prenais en faisant la garniture pour farcir les maamouls. La tradition veut que les maamouls soient garnis uniquement de dattes, mais voici ma version personnelle à laquelle je tiens.

 ## maamouls aux dattes, aux figues et aux pistaches

DONNE ENVIRON 40 MACARONS

la garniture

200 g (7 oz) de dattes dénoyautées et hachées
200 g (7 oz) de figues hachées
50 g (env. 2 oz) de pistaches hachées
1 c. à soupe de rhum brun
1 c. à soupe d'eau de fleur d'oranger
3 c. à soupe d'eau

les macarons

325 g (2 ½ tasses) de farine tout usage tamisée
250 g (½ lb) de beurre doux, mou
2 c. à soupe d'eau de fleur d'oranger
1 c. à soupe d'eau de rose
Environ 3 à 4 c. à soupe d'un mélange d'eau et de lait
Sucre en poudre pour la présentation

la garniture

Mettre tous les ingrédients à chauffer à feu doux. Brasser jusqu'à l'obtention d'une pâte épaisse. Laisser refroidir.

les macarons

Tamiser la farine une ou deux fois, puis la mettre dans un bol à mélanger. Ajouter le beurre coupé en morceaux et travailler avec les doigts jusqu'à ce qu'il soit bien incorporé. Ajouter l'eau de fleur d'oranger et l'eau de rose, puis continuer de travailler à la main. Ajouter juste assez de lait et d'eau pour former une pâte relativement ferme.

Prendre un peu de pâte et la rouler en boule. Enfoncer le pouce dans la boule pour y creuser un trou, tout en appuyant sur les côtés pour les amincir. Utiliser environ

½ c. à soupe de garniture pour farcir la pâte et bien la refermer de manière à emprisonner la garniture. Avec une pince à épiler, faire un petit trou au centre de la boule pour laisser échapper la vapeur de cuisson, puis de petits traits autour pour simuler une marguerite. Déposer sur une plaque à pâtisserie légèrement beurrée et continuer ainsi jusqu'à ce qu'il ne reste plus de pâte ni de garniture.

Mettre au milieu du four préchauffé à 180 °C (350 °F) et faire cuire environ 20 min. Les gâteaux ne doivent ni brunir ni devenir trop fermes. À leur sortie du four, ils ne sembleront pas assez cuits, mais attention, ils continuent de cuire en refroidissant. Quand ils sont froids, les rouler dans du sucre en poudre et les conserver dans un récipient en cuivre ou en métal.

Note : Si vos enfants ne sont pas trop gourmands, vous pourrez les conserver ainsi quelques semaines s'ils sont entreposés au sec.

MAGRET

Quand on est deux et qu'on aime la volaille, le magret de canard est un choix judicieux : juste ce qu'il faut de viande, pas de déchets, pas d'os, vite cuit et facile à préparer.

Sur les marchés du sud du Québec, on trouve les magrets de canard du lac Brome. Ils ne sont pas chers et sont plutôt petits. Malgré tout, à moins qu'on ait un gros appétit, un magret suffit pour deux. On peut les acheter frais ou congelés sous vide.

Congelés, on les sort le matin, on les débarrasse de leur papier de cellophane et on les enveloppe dans un linge à vaisselle. Le soir, ils sont prêts à cuisiner.

Les magrets de canard de Barbarie, surtout s'il s'agit de canards qui ont été gavés, sont évidemment plus savoureux. Ils sont plus gros et plus chers que les magrets des canards du lac Brome. Un magret de bonne taille peut servir 3 personnes qui ont un appétit moyen.

Qu'ils viennent du lac Brome ou pas, on prépare toujours les magrets de la même manière : on les quadrille côté peau pour faire des losanges d'environ 2 x 2 cm (½ x ½ po), puis avec un couteau pointu, on coupe de l'autre côté les nerfs les plus apparents ainsi que la pellicule un peu coriace qui recouvre la chair du magret par endroits.

Ensuite, on enduit les magrets côté chair d'un peu d'huile d'olive, puis on y tapote du poivre grossièrement concassé (poivre noir ou vert) ainsi qu'un peu d'herbes. J'aime bien enduire mes magrets de romarin frais haché assez finement ou, à défaut, d'herbes de Provence séchées. Du côté peau, on sale uniquement. On laisse mariner ainsi à température de la pièce au moins 1 h.

Pour faire cuire les magrets, on les dépose dans une poêle côté peau, à feu moyen. Toutes les 3 ou 4 min, on enlève le gras qui a fondu. Quand la peau a bien rissolé et qu'il ne reste pratiquement aucun gras, on tourne les magrets côté chair et on les fait cuire quelques minutes, selon la cuisson désirée. Le magret est à point (bien cuit) quand un liquide rosé s'écoule si on le pique avec une fourchette ou avec la pointe d'une brochette de bois. Si on souhaite avoir un magret très saignant, on le laisse cuire côté chair seulement 2 min. Et environ 4 min si on veut qu'il soit saignant.

Par la suite, on déglace la poêle avec 1 c. à soupe de vinaigre de framboise ou de cassis et 1 c. à soupe de cognac. On laisse réduire 1 min, puis on dépose cette sauce sur le magret qu'on découpe ensuite en tranches fines, en biais et dans le sens contraire à la fibre, en mélangeant bien le sang qui s'écoule et la courte sauce.

C'est ma façon préférée d'apprêter les magrets, que je sers habituellement avec des tranches de patate douce rissolées dans la graisse de canard ou simplement avec une salade verte.

Si vous craignez de ne pas avoir assez de viande pour deux avec un seul magret, faites-en cuire un deuxième et vous mangerez le reste froid avec une salade. Comme entrée, c'est formidable.

magret de canard aux pommes

Comme je possède un petit verger, j'essaie d'utiliser le plus de pommes possible. Voici une façon plus complexe de servir les magrets de canard, mais elle ravira vos convives.

POUR 2 PERSONNES
3 c. à soupe de raisins de Corinthe
2 c. à soupe de calvados
1 oignon jaune

1 c. à soupe d'huile d'olive
1 c. à soupe d'huile de noix
1 gousse d'ail émincée finement
75 g (2/3 tasse) de chapelure fraîche
1 c. à soupe de romarin frais, haché
Sel et poivre du moulin
1 petite pomme
1 gros magret de canard

Faire mariner les raisins dans le calvados pendant une bonne heure.

Éplucher l'oignon et le hacher assez finement. Dans une poêle, faire chauffer les huiles à feu moyen, ajouter l'oignon et le faire dorer. Quand il est doré, ajouter l'ail, faire dorer encore 1 ou 2 min, puis ajouter environ 1 à 2 c. à soupe d'eau. Porter à ébullition, puis ajouter la chapelure, le romarin, du sel, du poivre et juste ce qu'il faut d'eau pour obtenir une farce de consistance moyenne.

Enlever le cœur de la pomme et insérer dans la cavité les raisins préalablement égouttés. Avec la lame d'un couteau, aplatir le magret afin de l'agrandir presque du double. Piquer le magret côté peau plusieurs fois avec la pointe d'une fourchette afin de faire des trous qui permettront au gras de s'écouler.

Étaler la farce sur le magret côté chair, puis déposer la pomme sur la farce et enrouler le magret pour emprisonner la pomme. Ficeler lâchement à deux endroits afin que le magret demeure enroulé. Poser à plat sur une grille déposée sur une lèchefrite et mettre au centre du four préchauffé à 190 °C (375 °F).

Après environ une demi-heure, diminuer la température à 160 °C (325 °F) et faire cuire environ 45 min.

Servir avec un légume vert ou avec des pommes de terre sautées en coupant le magret en tranches d'un bon 0,5 cm (plus de 1/4 po) d'épaisseur.

MANGUE

Voilà un fruit que l'on trouve maintenant presque toute l'année dans les magasins. Hélas, les mangues sont loin d'être toujours à point. Comme elles nous viennent de loin, elles sont généralement cueillies avant d'être mûres et, hors de l'arbre, plus de la moitié mûrissent très mal. Elles deviennent souvent tellement fibreuses qu'on ne peut qu'en tirer du jus.

Il existe des dizaines de variétés de mangues : des jaunes, des vertes, des rouges, certaines de forme ronde, d'autres pointues ou ovoïdes. Il y en a de très grosses et de petites, mais elles ont toutes un goût à peu près semblable.

La mangue doit être mûre à point. Trop mûre, elle développe une mauvaise odeur, comme celle de la térébenthine. Une bonne façon de savoir si la mangue est à point est de la sentir (comme on fait pour les melons). Si elle dégage une odeur très parfumée, il y a de bonnes chances qu'elle soit à point. Et si, en plus, il y a une larme ou deux de liquide qui suintent au pédoncule, vos chances augmentent encore.

Quand la mangue a bien mûri, on peut la peler en incisant la peau, en la soulevant à la pointe du couteau et en tirant dessus. Il ne reste plus qu'à retirer la chair du noyau. Si la peau entraîne avec elle beaucoup de chair lorsque vous tirez dessus, c'est que la mangue est fibreuse. Mieux vaut alors l'éplucher avec un couteau d'office.

On peut aussi présenter la mangue en la coupant en dés. Pour y arriver, on tranche le fruit dans le sens de la longueur à peu près au tiers de son épaisseur. On fait la même chose de l'autre côté. On se retrouve ainsi avec deux lobes de fruit et le noyau reste seul entouré d'une bande de fruit.

On quadrille la chair en cubes en l'incisant avec un couteau fin et en prenant soin de ne pas toucher la pelure. On bombe chaque lobe, puis on passe le couteau près de la peau pour faire les cubes.

Comme la papaye, la mangue est délicieuse lorsqu'on la mouille d'un peu de jus de citron vert.

mangue en porc-épic

C'est à mon ami Laszlo que je dois aussi cette recette d'une simplicité si désarmante qu'elle en est presque ridicule. Pourtant, le résultat est étonnant. À tous les points de vue. C'est bon et... c'est beau.

POUR 2 PERSONNES

1 mangue bien à point
4 c. à soupe d'Amaretto
4 macarons italiens *(amaretti)*

Rafraîchir la mangue si elle est à température de la pièce. La laver et l'essuyer. La couper en 2 de façon à en dégager le noyau. Avec un couteau bien aiguisé, couper chaque partie de la mangue en dés d'environ 1 x 1 cm (env. 1/2 x 1/2 po) en prenant soin de ne pas inciser la peau. Déposer chaque morceau de mangue dans une assiette, côté peau, en la tournant de manière à lui faire le dos rond.

Arroser chaque morceau de mangue d'Amaretto. Entre les doigts, écraser les 4 macarons assez finement au-dessus d'un bol, puis répartir les petits morceaux sur les mangues.

MAQUEREAU

Voici un poisson décrié et sur lequel beaucoup de gens lèvent le nez. Sans doute parce qu'on connaît tous ce qu'est un maquereau quand on parle d'un homme... Dommage, car le maquereau ne coûte presque rien, il est savoureux et on le trouve frais presque toute l'année. Il ne faut pas le confondre avec le maquereau espagnol, un poisson gris-bleu qu'on pêche le long des côtes d'Afrique du Nord.

Si vous n'êtes pas amateur de maquereau, on vous dira sûrement que c'est un poisson gras. Quelle stupidité! Le maquereau est moins gras que du poulet, alors ne vous en privez pas.

Poêlés ou grillés, les filets de maquereau font une jolie entrée ou un plat délicieux. On peut alors les manger avec des pommes de terre sautées ou seulement avec une salade verte. Froid, le maquereau se marie bien à une sauce tomate, une sauce à la moutarde ou simplement une sauce au vin blanc dans laquelle on a fait à peine cuire quelques rondelles d'oignon.

maquereaux poêlés
POUR 2 PERSONNES

6 ou 8 filets de maquereau
1 c. à soupe d'huile de noisette ou de noix
Sel et poivre du moulin
2 c. à soupe d'huile d'olive
1 oignon jaune tranché en rondelles
1 gousse d'ail tranchée en fines lamelles
Le jus de 1/2 citron
Un petit bouquet de persil frais, haché

Lever ou faire lever les filets. À l'aide d'un pinceau ou avec le bout des doigts, les enduire de l'huile de noisette ou de noix côté chair et côté peau, les saler et les poivrer.

À feu assez vif, mettre l'huile d'olive dans une grande poêle. Quand elle est chaude, y déposer les filets côté peau. Ajouter les rondelles d'oignon. Cuire ainsi environ 3 min. Ajouter les lamelles d'ail. Cuire jusqu'à ce que le poisson soit à point. En général 3 ou 4 min de plus, moins si les filets sont petits.

Servir dans des assiettes bien chaudes, arroser du jus de citron et parsemer de persil haché. Certaines rondelles d'oignon seront à peine cuites, d'autres seront très dorées, mais c'est très bien ainsi.

MARMELADE

Les Écossais ont inventé la marmelade. Par hasard, comme il arrive souvent. Un armateur avait fait venir à Dundee une cargaison d'oranges portugaises si amères qu'elles ne réussirent pas à trouver preneur. C'est la femme de l'armateur qui sauva la mise en concoctant une confiture d'oranges qu'elle nomma marmelade.

Pourquoi les oranges de Séville font-elles les meilleures marmelades ? Parce qu'elles sont douces et amères juste ce qu'il faut. Malheureusement, on ne les trouve pas toute l'année, mais de décembre à la fin de février seulement. On peut avoir de la marmelade d'oranges de Séville fraîche en tout temps, car il suffit de congeler les oranges entières et de les utiliser ensuite comme si elles étaient fraîches. Tous n'y verront que du feu !

 ### marmelade d'oranges de Séville

Ce sont mes amies Claudette Picard et Francyne Voyer qui font les meilleures marmelades d'oranges de Séville et c'est à elles que je dois d'en être devenu accro.

Voici ma version personnelle de cette marmelade qui ensoleille les matins les plus gris.

DONNE 9 BOCAUX DE 250 ML (1 TASSE)
9 oranges de Séville
Le jus de 2 citrons jaunes
Le jus de 1 citron vert
3 c. à soupe d'eau de fleur d'oranger
1,4 kg (6 ½ tasses) de sucre blanc
9 graines de cardamome encore verte
60 ml (¼ tasse) de Cointreau ou de
   Grand Marnier

Brosser soigneusement les oranges dans de l'eau savonneuse et bien les rincer. Les mettre dans une grande cocotte avec assez d'eau pour qu'elles flottent. Couvrir et faire frémir doucement pendant environ 2 h 30 ou jusqu'à ce que les oranges soient bien tendres quand on les pique avec un cure-dent. Les retirer de leur eau. Garder 375 ml (1 ½ tasse) de cette eau et la verser dans une cocotte plus petite.

Dans une grande assiette (afin de ne pas en perdre le jus ou la pulpe), couper les oranges dans le sens horizontal du fruit. Enlever soigneusement les pépins et les mettre à bouillir dans la petite cocotte pendant 8 min. Couper les oranges en rondelles fines – moins de 0,5 cm (¼ po) – et réserver. Tamiser l'eau dans laquelle les pépins ont bouilli et la verser dans la grande cocotte. Ajouter le jus des citrons et l'eau de fleur d'oranger. Mettre à bouillir à feu vif, ajouter le sucre et brasser avec une cuillère de bois. Quand le sucre est dissous, ajouter les oranges ainsi que les graines de cardamome légèrement broyées. Faire bouillir en mélangeant délicatement jusqu'à ce que la température atteigne 105 °C au thermomètre à bonbons, 106 °C si l'on souhaite une marmelade très ferme. Retirer du feu, ajouter l'alcool et mélanger. Laisser reposer quelques minutes, verser dans des bocaux stérilisés. Garder au frigo ou dans un endroit très frais. Patienter au moins 1 à 2 semaines avant de s'en gaver…

MÉROU

Le mérou (rouge, *yellowmouth* ou badèche gueule jaune, etc.) est un gros poisson, un peu filandreux comme le thon. Il a intérêt à être servi presque mi-cuit, plus que le thon mais moins que l'ensemble des poissons. On a aussi avantage à acheter des morceaux épais.

mérou grillé

POUR 4 PERSONNES

2 c. à soupe d'huile d'olive

3 c. à soupe de jus de citron

Poivre du moulin

1/2 c. à soupe d'herbes de Provence

4 morceaux de mérou, soit 800 à 850 g (env. 1 3/4 à 2 lb), au total

6 à 8 échalotes françaises

1 gousse d'ail émincée

Sel

1 c. à café (1 c. à thé) de vinaigre balsamique

1 c. à soupe d'huile de noisette

Mettre la moitié de l'huile d'olive et du jus de citron, le poivre et les herbes dans une assiette, puis émulsionner légèrement avec une fourchette. Y tourner les morceaux de poisson sur chaque face et laisser mariner ainsi 1 h à température de la pièce.

Couper les échalotes en tranches minces dans le sens de la longueur. Verser le reste de l'huile d'olive dans une grande poêle et y faire cuire les échalotes à feu assez vif en les remuant de temps à autre. Après quelques minutes, ajouter l'ail, le sel et le poivre. Cuire jusqu'à ce que les échalotes soient al dente et retirer du feu.

Faire chauffer le four à *broil*. Déposer les morceaux de poisson dans une lèchefrite sur une grille et les faire griller de 4 à 5 min de chaque côté, le plus près possible du gril.

Une minute avant que le poisson soit cuit, faire chauffer vivement les échalotes, puis déglacer au vinaigre balsamique. Servir le poisson dans des assiettes chaudes, le saler légèrement, déposer les échalotes sur le poisson et autour, puis arroser d'un filet d'huile de noisette et du reste du jus de citron.

Servir avec une salade verte ou quelques tranches de pommes de terre rôties dans le beurre.

MORUE

Quel merveilleux poisson que cette morue ! Elle se prête à toutes les fantaisies et toujours avec un égal bonheur. Comme j'en mange presque toutes les semaines, j'essaie de varier au maximum la façon dont je la prépare. Je crois être bientôt capable d'égaler les Portugais qui prétendent avoir 365 façons différentes d'apprêter la morue, soit une façon pour chaque jour de l'année.

darnes de morue fraîche

POUR 2 PERSONNES

2 oignons jaunes coupés en fines rondelles

60 ml (1/4 tasse) d'huile d'olive vierge

2 darnes de morue de 125 g (4 oz) chacune

3 gousses d'ail coupées en fines lamelles
Sel et poivre du moulin
1 c. à soupe de jus de citron

Dans une poêle assez grande pour recevoir les darnes, cuire les oignons à feu vif dans l'huile d'olive. Quand ils sont cuits, les tasser sur le bord de la poêle et ajouter les darnes. Les cuire environ 3 min d'un côté, puis les retourner. Ajouter les lamelles d'ail avec les oignons et mélanger. Saler et poivrer. Dès que les darnes sont cuites, les disposer dans des assiettes chaudes en les entourant des oignons et de l'ail, arroser du jus de citron et servir immédiatement. Accompagner d'une salade verte ou d'un légume vert.

morue à l'asiatique

Voici une version à l'asiatique qui devrait vous plaire pour peu que vous aimiez la cuisine de l'Orient.

POUR 2 PERSONNES

la morue

Le zeste de ½ citron coupé en julienne
2 c. à soupe d'huile de tournesol
1 oignon jaune coupé en rondelles
Sel
2 gousses d'ail en fines tranches
Poivre du moulin
½ c. à café (½ c. à thé) de bon vinaigre
    balsamique
2 c. à café (2 c. à thé) d'huile de sésame rôti
2 pavés de morue, soit environ 350 g
    (12 oz), au total

les bok choys

4 ou 6 petits bok choys
1 c. à soupe d'huile de tournesol
1 c. à soupe de jus de citron
1 c. à soupe de bon vinaigre balsamique
2 c. à soupe de sauce tamari
Poivre du moulin

Couper une partie du vert des bok choys et cuire quelques minutes à la vapeur. Égoutter et réserver.

la morue

Faire bouillir le zeste 1 min et réserver.

Faire chauffer l'huile de tournesol dans une poêle à poisson, puis y faire suer l'oignon. Saler légèrement. Quand il est tendre, ajouter le zeste, l'ail et le poivre. Laisser cuire quelques minutes, puis ajouter le vinaigre et l'huile de sésame. Cuire encore 1 min et réserver au chaud.

Augmenter l'intensité du feu, déposer les deux pavés de morue et cuire quelques minutes de chaque côté, selon la grosseur. Dès qu'ils sont cuits, les déposer dans des assiettes chaudes et garder au four.

les bok choys

Couper chaque bok choy en 2. Remettre de l'huile de tournesol dans la poêle et y faire rissoler très rapidement les bok choys, environ 1 min de chaque côté. Les répartir dans des assiettes, déglacer la poêle au jus de citron et au vinaigre balsamique, puis ajouter la sauce tamari. Laisser cuire 1 min en remuant avec une spatule, puis répartir ce bouillon sur les bok choys et les pavés de morue. Poivrer. Servir immédiatement.

morue à la sauce brune

Aux Îles-de-la-Madeleine, tous les Madelinots se connaissent et même lorsqu'ils émigrent, ils restent si attachés aux Îles qu'ils passent rarement une année sans y revenir. Parmi ceux qui sont partis pour la terre ferme, mes amis, les Delaney, sont sûrement les plus fidèles. Paul et Nicole y ont des maisons et mon ami Franklin vient y accoster son bateau presque tous les étés.

En août 2004, Paul nous a reçus à dîner et ce sont ses sœurs Nicole et Gilberte (qui, elle, vit en Floride), qui avaient préparé le repas. Nicole avait cuisiné de la morue comme sa mère Claudia le faisait à Havre-aux-Maisons, au siècle dernier.

POUR 4 PERSONNES
30 g (¼ tasse) de farine grillée
4 c. à soupe d'huile d'olive ou de
    tournesol
2 c. à soupe de beurre
Environ 375 ml (1 ½ tasse) d'eau
2 oignons jaunes émincés
Sel et poivre du moulin
1 kg (2 ¼ lb) de morue bien fraîche

Préchauffer le four à 230 °C (450 °F).

Faire griller de la farine dans une poêle très chaude en la remuant constamment avec une cuillère de bois. Quand elle est d'un beau brun, la retirer tout de suite de la poêle et réserver.

Dans une grande poêle, faire chauffer la moitié de l'huile et le beurre. Quand le beurre est fondu et que le tout est très chaud, ajouter la farine et l'incorporer au mélange jusqu'à l'obtention d'une pâte assez lisse. Ajouter l'eau et remuer pour bien éclaircir. Ajouter la moitié des oignons et les faire cuire à feu moyen jusqu'à ce qu'ils soient bien tendres. Saler et poivrer. Réserver.

Placer les filets de morue dans un plat à gratin, parsemer la morue du reste des oignons et verser l'huile qui reste.

Quelque temps avant de passer à table, enfourner la morue au centre du four préchauffé et cuire de 7 à 8 min. Ajouter la sauce sur la morue et cuire encore de 7 à 8 min.

Servir dans des assiettes bien chaudes avec un légume vert ou des pommes de terre vapeur.

morue fraîche à l'huile de citron

POUR 2 PERSONNES
1 échalote française
4 gousses d'ail
1 citron
2 c. à soupe d'huile de tournesol
1 morceau de morue fraîche d'environ
    425 g (env. 1 lb)
Sel et poivre du moulin
2 c. à soupe d'huile d'olive au citron
Piment d'Espelette séché ou paprika

Couper l'échalote et l'ail en fines tranches dans le sens du bulbe. Réserver. Couper le zeste de citron en lamelles, puis recouper les lamelles en julienne. Faire bouillir 1 min, puis égoutter. Extraire le jus de la moitié du citron et réserver. Mettre l'huile de tournesol à chauffer à feu assez vif dans une poêle à poisson et, dès qu'elle est chaude, y déposer le morceau de morue. Faire cuire de 3 à 4 min (selon l'épaisseur), tourner, puis ajouter autour l'ail et l'échalote ainsi que la julienne de citron. Saler et poivrer. Faire cuire encore de 3 à 4 min. Dès que le poisson est cuit (le centre peut être encore légèrement cru), le couper en 2 morceaux et les déposer dans des assiettes très chaudes. Arroser le poisson du jus de citron et disposer dessus et autour l'ail, l'échalote et le zeste. Arroser le tout d'huile d'olive au citron, puis parsemer l'assiette d'un peu de piment d'Espelette ou de paprika. Servir avec une salade verte ou quelques morceaux de pommes de terre sautées.

 ### pavés de morue à la provençale

POUR 4 PERSONNES

1 oignon rouge ou blanc tranché en rondelles d'environ 0,5 cm (1/4 po) d'épaisseur

1 poivron vert tranché de la même manière

1 poivron jaune tranché de la même manière

80 ml (1/3 tasse) d'un mélange d'huile d'olive et d'huile de noisette

Le zeste de 1/2 citron émincé finement

2 tomates pelées et tranchées de la même manière

4 gousses d'ail coupées en fines lamelles

12 à 16 olives noires calamata, dénoyautées et préférablement coupées en lamelles

1 c. à café (1 c. à thé) d'herbes de Provence

1 petit piment oiseau écrasé

Sel et poivre du moulin

Environ 650 g (env. 1 1/2 lb) de filets de morue bien fraîche

2 c. à soupe de jus de citron vert ou jaune

2 à 3 c. à soupe de persil frais, haché

Déposer oignon et poivrons dans une sauteuse ou une grande poêle contenant la moitié de l'huile et faire suer à feu doux jusqu'à ce qu'ils soient tendres. Baisser le feu et déposer sur le tout le zeste de citron, les tranches de tomate, l'ail, les olives, les herbes et le piment. Saler et poivrer. Laisser attendrir légèrement la tomate, puis éteindre le feu.

Préchauffer le four à 230 °C (450 °F).

Couper les filets de morue en 4 portions égales (si les filets sont minces, les replier de façon à former des pavés). Déposer la moitié des légumes dans une belle lèchefrite allant au four, y disposer les pavés de morue, puis y déposer le reste des légumes. Cuire au four de 10 à 12 min. Sortir du four, arroser de l'huile qui reste et du jus de citron, puis parsemer de persil. Servir immédiatement dans des assiettes chaudes sans autre accompagnement.

Note : On peut aussi faire la même recette avec des pavés de flétan ou, à la rigueur, avec des filets d'aiglefin.

MOUSSAKA

Il y a des plats qu'il ne faut pas manger au restaurant. La lasagne fait partie de ceux-là, tout comme la moussaka. Que les restos soient grecs, turcs ou juifs, en général, la moussaka qu'on y sert n'a rien à voir avec celle que vous vous donnerez la peine de préparer à la maison. Mais il faut se donner la peine, car s'il est simple à préparer, le plat demande du temps et une certaine dose de patience.

Quant aux assaisonnements, la quantité de chacun reste facultative selon qu'on souhaite une moussaka plus ou moins relevée. Quant à moi, je l'aime bien vivante !

Pour une moussaka qui n'a aucune amertume, mieux vaut employer de petites aubergines sans trop de pépins. Les meilleures sont les aubergines de Hollande dont la peau est presque blanche et violacée. Elles sont très chères, mais n'ont aucune amertume et presque pas de pépins.

 ma moussaka

POUR 8 PERSONNES

Un bon kg (2 1/4 lb) d'aubergines

Sel

Environ 125 ml (1/2 tasse) d'huile d'olive

2 c. à soupe d'huile de noix ou de noisette

2 gros oignons émincés

3 gousses d'ail hachées menu

680 g (1 1/2 lb) d'agneau ou de chevreau haché ou les deux viandes mélangées ensemble

3 tomates pelées, épépinées et coupées en dés

2 c. à café (2 c. à thé) de cannelle moulue

1/2 c. à café (1/2 c. à thé) de toute-épice

1/2 c. à café (1/2 c. à thé) de cumin moulu

Une pincée de sucre

Poivre du moulin

15 g (1/4 tasse) de persil frais, haché

1 c. à soupe de zeste de citron

15 feuilles de menthe fraîche, hachées grossièrement

Un petit bouquet de coriandre fraîche, hachée

125 ml (1/2 tasse) de vermouth blanc extra-dry

2 c. à soupe de pâte de tomate

la béchamel

3 c. à soupe de beurre

3 c. à soupe de farine

330 ml (1 1/3 tasse) de lait

1/2 c. à café (1/2 c. à thé) de muscade fraîchement râpée

30 g (1/4 tasse) de parmesan fraîchement râpé

Sel et poivre du moulin

1 jaune d'œuf (facultatif)

15 g (1/4 tasse) de chapelure fraîche

Couper les aubergines en tranches d'environ 0,5 cm (1/4 po) sans les peler. Les saler, puis les faire dégorger environ 1 h. Rincer les aubergines et bien les essuyer avec une serviette. Mettre une partie de l'huile d'olive dans une poêle et y faire revenir les tranches d'aubergine des deux côtés, à feu plutôt vif. À mesure qu'elles sont cuites al dente, les déposer sur du papier essuie-tout.

Dans une poêle, verser l'huile d'olive qui reste ainsi que l'huile de noix ou de noisette, faire chauffer à feu vif, y déposer les oignons, les faire suer quelques instants, puis ajouter l'ail et la viande en la défaisant le plus possible avec deux cuillères en bois. Faire revenir ainsi jusqu'à ce que la viande ait perdu sa couleur rouge vif. Ajouter les tomates, les épices, le sucre, le sel et le poivre, le persil, le zeste, la menthe, la coriandre et le vermouth mélangé avec la pâte de tomate, puis faire mijoter à bons bouillons tout en remuant de temps à autre de 20 à 25 min ou jusqu'à ce que tout le liquide ait été absorbé par la viande.

Disposer des tranches d'aubergine dans une lèchefrite de pyrex ou de porcelaine émaillée (du type de celle dans laquelle on cuit la lasagne), puis y mettre la moitié de la viande. Disposer par-dessus une nouvelle couche de tranches d'aubergine, puis le reste de la viande et terminer par une dernière couche de tranches d'aubergine. Réserver.

Faire chauffer le four à 180 °C (350 °F).

la béchamel

Dans une cocotte de porcelaine émaillée, faire fondre le beurre à feu doux, puis y incorporer la farine. Verser progressivement le lait tout en remuant bien. Faire épaissir sans cesser de remuer, puis ajouter la muscade, le fromage, le sel et le poivre.

On peut omettre le parmesan. Dans ce cas, à la fin, on fouette un jaune d'œuf dans un bol, on y ajoute un peu de béchamel, on remue bien et on remet le tout dans la sauce en continuant de remuer.

Napper les aubergines de la béchamel, puis y répartir la chapelure. Cuire au four environ 45 min ou jusqu'à ce que la moussaka soit bien dorée. Servir bien chaude avec une salade verte en accompagnement.

moussaka végétarienne

Je ne suis pas très porté sur les plats végétariens, mais j'ai quelques amis qui le sont et d'autres, comme Julie Snyder, qui ne veulent même pas voir un plat de viande ou de volaille. La dernière fois qu'elle est venue à la maison, je lui avais préparé cette moussaka végétarienne.

POUR 5 À 6 PERSONNES EN PLAT PRINCIPAL
POUR 8 À 10 PERSONNES EN ENTRÉE

450 g (1 lb) d'aubergines bien fraîches
Sel
115 g (1/4 lb) de lentilles vertes
500 ml (2 tasses) de bouillon de légumes
2 feuilles de laurier
2 c. à soupe d'huile d'olive
2 c. à soupe d'huile de noix ou de noisette
1 gros oignon jaune émincé ou 2 petits
2 gousses d'ail émincées
1 boîte d'environ 375 g (13 oz) de pois chiches bien rincés et égouttés
225 g (1/2 lb) de champignons blancs émincés
3 tomates pelées, épépinées et coupées en gros dés

Moussaka

2 c. à café (2 c. à thé) d'herbes de
 Provence
Sel et poivre du moulin
125 ml (½ tasse) de vermouth blanc
 extra-dry
3 c. à soupe de pâte de tomate

la béchamel

3 c. à soupe de beurre
3 c. à soupe de farine
330 ml (1 ⅓ tasse) de lait
½ c. à café (½ c. à thé) de muscade
 fraîchement râpée
30 g (¼ tasse) de parmesan fraîchement
 râpé
Sel et poivre du moulin
1 jaune d'œuf (facultatif)
15 g (¼ tasse) de chapelure fraîche

Couper les aubergines en tranches d'au
plus 0,5 cm (¼ po) d'épaisseur. Les saler,
puis les faire dégorger de 30 à 60 min.

Mettre les lentilles, le bouillon de
légumes et les 2 feuilles de laurier à bouillir
dans une casserole couverte. Laisser frémir
environ 20 min. Les lentilles doivent rester
al dente. Égoutter et réserver.

Faire chauffer le tiers des huiles dans
une grande sauteuse, ajouter l'oignon,
cuire à feu assez vif de 2 à 3 min, ajouter
l'ail et cuire encore de 2 à 3 min tout
en remuant. Ajouter les lentilles, les pois
chiches, les champignons, les tomates, les
herbes, le sel et le poivre ainsi que le
vermouth mélangé avec la pâte de tomate.
Porter à ébullition, puis diminuer le feu et
laisser mijoter pendant une douzaine
de minutes.

Préchauffer le four à 180 °C (350 °F).

Dans une grande poêle, mettre une
partie de ce qui reste des huiles et y faire
revenir à feu vif les tranches d'aubergine
de 4 à 5 min de chaque côté. Laisser
égoutter sur du papier essuie-tout et faire
cuire ainsi toutes les tranches. Ajouter un
peu d'huile d'olive, si nécessaire.

Disposer des tranches d'aubergine dans
une lèchefrite de pyrex ou de porcelaine
émaillée (du type de celle dans laquelle on
cuit la lasagne), puis y mettre la moitié de la
préparation de lentilles. Disposer par-dessus
une nouvelle couche de tranches d'aubergine,
puis le reste de la préparation et terminer
par une dernière couche de tranches
d'aubergine. Réserver.

la béchamel

Dans une cocotte de porcelaine émaillée,
faire fondre le beurre à feu doux, puis y
incorporer la farine. Verser progressivement
le lait tout en remuant bien. Faire épaissir
sans cesser de remuer. Puis ajouter muscade,
fromage, sel et poivre. On peut omettre le
parmesan. Dans ce cas, à la fin, on fouette
un jaune d'œuf dans un bol, on y ajoute un
peu de béchamel, on remue bien et on remet
le tout dans la sauce en continuant de remuer.

Napper les aubergines de la béchamel,
puis y répartir la chapelure. Cuire au four
environ 45 min ou jusqu'à ce que la moussaka
soit bien dorée. Servir bien chaude avec
une salade verte en accompagnement.

Navet

Noix de muscade

NAVET

Ce légume de terre a mauvaise réputation.
D'ailleurs, quand on vient de voir un mauvais
film ou qu'on est devant une œuvre d'art que
l'on trouve sans valeur, ne dit-on pas que c'est
un navet ? Bien apprêté, pourtant, le navet
constitue un excellent légume d'accompagnement. Et on peut en trouver toute l'année,
même si en fin de saison (printemps et début
de l'été), il n'a pas beaucoup de saveur et est
presque aussi dur que du bois, surtout si l'été
qui l'a vu grandir a été chaud et sec.

On ne saurait réussir de bons pot-au-feu
sans navet. De tous les légumes qui le com-
posent, c'est probablement celui qui, avec les
poireaux, donne le plus de saveur au plat.

Quand le navet est tout jeune, on se contente de le brosser. Dès qu'il a vieilli un peu,
il faut le peler sans ménagement. Mais juste
avant de le blanchir seulement, sinon il
s'oxyde et devient difficile à digérer.

Le navet doit être blanchi. Plus on est en fin
de saison, plus le blanchiment du navet doit
durer, facilement jusqu'à 10 min. On blanchit le
navet en le mettant dans l'eau bouillante qu'on
ramène rapidement à ébullition. Un vieux
navet, je le blanchis deux fois. Après l'avoir fait
bouillir quelques minutes, je le refroidis à l'eau
froide, je jette l'eau et je recommence. De cette
façon, le navet perd sa saveur trop âcre.

 navets glacés
POUR 2 À 3 PERSONNES

1 navet
1 c. à soupe d'huile d'olive
1 c. à soupe d'huile de noix ou de noisette
Une noix de beurre
Sel et poivre du moulin
1 à 2 c. à soupe de sucre
Feuilles de marjolaine fraîche

Blanchir le navet, puis le faire cuire à l'eau
bouillante jusqu'à ce qu'il soit attendri. Le
passer sous le robinet d'eau froide pour
stopper la cuisson.

Le couper en tranches de 1 cm (env. 1/2 po)
d'épaisseur. Dans une poêle ou une sauteuse,
faire chauffer les huiles et le beurre à feu
assez vif, puis y déposer les tranches de
navet pour les faire bien dorer. Saler et
poivrer légèrement, puis saupoudrer de
sucre. Retourner les tranches, les faire dorer
encore, saler et poivrer légèrement, puis
saupoudrer de sucre. Quand les tranches
ont commencé à caraméliser, les tourner
pour faire caraméliser l'autre face.

Servir les tranches de navet parfumées
de feuilles de marjolaine. Ainsi apprêté, le
navet accompagne bien toutes les viandes,
particulièrement les viandes grasses.

purée de navets gratinée
POUR 2 À 3 PERSONNES

1 petit navet

2 pommes de terre

Sel

Environ 125 ml (½ tasse) de crème
   épaisse

Une noix de beurre

Muscade fraîchement râpée

Environ 30 g (¼ tasse) de parmesan ou de
   romano fraîchement râpé

Peler le navet et le faire blanchir. Peler les
pommes de terre et les couper en gros
morceaux égaux. Faire de même avec le
navet après l'avoir fait blanchir et refroidir
sous l'eau froide. Mettre dans une casserole
avec de l'eau froide salée, puis faire cuire
à bons bouillons. Dès que les deux légumes
sont cuits, les égoutter et les remettre sur la
cuisinière quelques instants pour les assécher.

Faire chauffer la crème. Quand les
morceaux de légumes sont asséchés, les
écraser avec un pilon ou à la fourchette,
ajouter la noix de beurre, puis écraser
encore. Verser la crème graduellement et
piler jusqu'à l'obtention d'une purée bien
lisse qu'on peut continuer de manipuler au
fouet. Ajouter de la muscade au goût, puis
fouetter encore.

Transférer la purée dans un plat à
gratin, y parsemer le fromage parmesan
ou romano fraîchement râpé, y déposer
quelques petites noisettes de beurre et
passer sous le gril quelques minutes jusqu'à
ce que la purée soit bien dorée.

NOIX DE MUSCADE

De grâce, bannissez de votre cuisine la muscade en poudre qu'on vend au comptoir des
épices. Au moment où vous l'achetez, elle
n'a déjà presque plus de saveur et, dès
que vous avez ouvert le pot, toute la saveur
qui reste s'envole. Achetez la muscade en
noix. Si vous allez chez Main Importing, au
1188, rue Saint-Laurent, à Montréal, ou dans
n'importe quel établissement spécialisé,
vous pourrez vous procurer de 10 à 15 noix
de muscade pour quelques dollars. Vous les
garderez dans une armoire, bien à l'abri
dans un bocal hermétique.

Par la suite, tout ce qui vous reste à faire,
c'est de râper une noix dans le plat que vous
voulez assaisonner.

Quand on met de la muscade dans un
plat, on ne met généralement pas d'herbes,
car la saveur de la muscade se marie mal à
celle des herbes. Par contre, la muscade peut
faire bon ménage avec d'autres épices comme
le cumin, la cannelle, le clou de girofle ou
le gingembre.

La muscade est indispensable à la plupart
des gratins et des purées de légumes ainsi
qu'à presque toutes les compotes de fruits.

Œuf

Oignon

ŒUF

Comme j'aime beaucoup les œufs, je suis constamment à la recherche de ceux qui me rappellent mon enfance, ces œufs que nous allions lever au poulailler le matin ou en fin de journée et que nous cassions dans un bol avant de les faire cuire. Un bel œuf au jaune bombé et au blanc bien aggluthiné autour.

Nos poules se promenaient au grand air et mangeaient du gazon et les feuilles de laitue que nous leur jetions, les jaunes d'œufs étaient donc tous orangés, gavés de chlorophylle. Hélas ! il faut parcourir aujourd'hui des kilomètres et des kilomètres pour trouver des œufs pareils. Et les rares personnes qui élèvent encore leurs poules en liberté gardent souvent les œufs pour elles !

L'élevage en batterie et les règles implacables de nos offices de mise en marché ont fait en sorte qu'on ne trouve que des œufs bien brossés, tous de la même grosseur, sans germe et sans saveur, souvent pondus depuis deux, trois et même quatre semaines. Il ne faudrait jamais laver les œufs, car on les prive ainsi d'une couche protectrice qui permet de les garder frais beaucoup plus longtemps. Mais allez donc faire comprendre ça à des offices de mise en marché, préoccupés seulement de nous protéger contre tous les microbes du monde au détriment de la saveur des aliments !

En France, on trouve encore partout des œufs qui goûtent les œufs ! Là-bas, on n'a pas encore éprouvé le besoin de nous mettre à l'abri de tous les microbes ou des germes que contiennent les œufs fertiles.

œufs au sirop d'érable

Je fais des œufs au sirop d'érable depuis des lustres et je n'en ai jamais changé la recette, les faisant toujours comme je l'indique dans le premier tome d'Un homme au fourneau (voir p. 263).

Au printemps de 2004, le sirop que j'ai acheté d'un fermier de la Beauce était si bon que j'ai décidé de modifier certaines de mes recettes qui contiennent du sirop, donc celle des œufs dans le sirop. Une gourmandise... pleine de calories !

POUR 3 À 4 PERSONNES
250 ml (1 tasse) de sirop d'érable
60 ml (¼ tasse) de crème épaisse
4 c. à soupe de beurre
2 œufs
1 c. à soupe de rhum

Mélanger le sirop et la crème, ajouter le beurre et faire bouillir dans une petite cocotte jusqu'à ce que ce sirop ait réduit

d'environ 10 à 50 %. À l'aide d'une fourchette, battre les œufs légèrement avec le rhum, puis verser dans la cocotte. Porter à ébullition en y brouillant les œufs deux ou trois fois avec une fourchette, faire bouillir 1 min, puis retirer du feu. Brouiller les œufs encore une fois et laisser tiédir. Servir tel quel encore tiède.

OIGNON

Si vous croyez aux recettes de grand-mère — moi, je crois à certaines d'entre elles —, je peux vous affirmer que les oignons ont des vertus thérapeutiques. L'oignon est un excellent désinfectant. Si vous vous faites piquer par un maringouin ou par une guêpe ou si vous vous brûlez, épluchez un oignon, coupez-en une grosse tranche et appliquez-la sur la piqûre ou sur la brûlure. Vous m'en donnerez des nouvelles.

Mon grand-père maternel prétendait qu'un bon verre de jus d'oignon tous les matins le protégeait contre toutes les infections. Il n'a jamais eu la grippe, à ma connaissance, mais il est mort avant d'avoir 70 ans, alors je ne sais pas si ça vaut la peine d'avaler un verre de jus d'oignon chaque matin. La plupart préfèrent un verre de jus d'orange ou de pamplemousse !

 oignon et poissons entiers poêlés

Je ne fais pratiquement plus jamais poêler de poisson entier sans ajouter un oignon tranché en rondelles de 0,5 cm (¼ po). J'ajoute aussi 1 ou 2 gousses d'ail tranchées en lamelles et un peu de zeste de citron jaune ou vert (selon le poisson) coupé en julienne.

Voici donc ma méthode de base.

POUR 2 À 4 PERSONNES
1 poisson entier
Sel et poivre du moulin
¼ de citron coupé en 2 petits quartiers
Un bouquet d'herbes fraîches (aneth, fenouil ou thym)
2 c. à soupe d'huile d'olive
1 oignon jaune coupé en rondelles
Le zeste de ¼ de citron coupé en julienne
1 gousse d'ail coupée en lamelles
1 c. à soupe de jus de citron

Couper les branchies et les nageoires dorsales du poisson et bien l'essuyer à l'intérieur comme à l'extérieur. Saler et poivrer la cavité, y insérer les petits quartiers de citron et le bouquet d'herbes fraîches, puis refermer le poisson en le ficelant avec 1 ou 2 tours de corde de boucher.

Faire chauffer l'huile dans une poêle antiadhésive, y déposer le poisson, répandre les rondelles d'oignon, le zeste et les lamelles d'ail sur et autour du poisson,

saler et poivrer. Faire cuire le temps qu'il faut d'un côté (3 à 5 min, selon la grosseur), puis retourner. Cuire encore de 3 à 5 min.

Disposer le poisson dans une assiette de service bien chaude, puis l'entourer de l'oignon et de l'ail. Certaines rondelles auront frit, d'autres seront juste tendres. Arroser du jus de citron et servir avec un légume vert ou une pomme de terre vapeur.

On peut utiliser cette recette avec la majorité des poissons qui peuvent être poêlés entiers : dorades, bars, rougets, dorés, truites, maquereaux et autres.

P

Pain
Panais
Patate douce
Pâtes alimentaires
Perche
Pétoncles
Piment d'Espelette
Pomme

Pomme de terre
Porc
Pot-au-feu
Potée
Potiron et potimarron
Purée de légumes
Purée de pommes de terre

PAIN

Il y a environ 25 ans, alors que Maryse était dans la jeune vingtaine, elle s'est « exilée » avec son fils, un bébé d'à peine quelques mois, sur la rive nord du lac Memphrémagog. Elle cherchait une activité qu'elle pourrait exercer de la maison afin de combler ses journées de jeune maman. Elle s'est alors souvenue que sa mère, afin de combler les siennes, faisait elle-même le pain pour la famille. Sa maman vint lui donner quelques leçons et conseils sur l'art de la fabrication du pain de ménage. Dès la deuxième leçon, Maryse décida de mettre une affiche peinte à la main sur le bord de la route et elle commença à pétrir la pâte, vendant quelques pains par semaine. La renommée de son pain s'étant répandue, elle en cuisait près d'une quarantaine par jour dans le four de deux cuisinières bien ordinaires. Finalement, elle comprit qu'elle pouvait gagner sa vie en faisant du pain.

Encore aujourd'hui, Maryse est convaincue d'avoir ainsi appris à conjurer tous les mauvais sorts. « Quoi qu'il m'arrive, dit-elle souvent, où que je sois au monde, je pourrai toujours m'en sortir en faisant du pain ! »

Pour mon plus grand bonheur et celui de nos invités, Maryse fait chaque semaine notre provision de pain, utilisant en général des farines moulues sur la pierre qu'elle se procure à la Coop d'Alentour, à Sherbrooke.

Quand des invités viennent à la maison, ils repartent toujours avec un pain frais dans leurs bagages. C'est notre nouvelle façon de les remercier d'avoir quitté leur domicile pour venir festoyer avec nous. L'automne, on ajoute un panier de pommes fraîches à leur petit pain.

L'odeur du pain, c'est bien connu, embaume toute la maison. C'est comme celle des confitures. Hélas, on ne peut faire des confitures toutes les semaines. Faire son pain n'est pas une mince tâche, mais elle est moins ardue qu'on serait porté à le croire. Et puis, à voir Maryse pétrir sa pâte et la battre sur le comptoir pour en faire sortir l'air, je suis sûr que c'est pour la personne qui fait son pain une excellente manière de se défouler. Mieux vaut « fesser » sur la pâte que sur son conjoint, non ?

Le pain est une affaire très personnelle. Les fantaisies sont illimitées. Les farines ne réagissent jamais de la même manière et faire son pain constitue presque toujours une surprise. La température de la pièce joue un rôle aussi, tout comme, j'en suis convaincu, l'humeur du boulanger. Je n'ai jamais fait de pain — je laisse tout ce soin à Maryse —, mais je l'ai assez observée pour comprendre le plaisir qu'elle y trouve. Il y a une énorme fierté à voir son pain lever, d'abord bien au chaud au fond d'une armoire, et puis à la chaleur du four.

Quand Maryse sort les moules du four et qu'elle démoule ses miches, je suis ravi de peindre la croûte de beurre chaud. Ravi aussi de humer l'extraordinaire odeur du pain qui refroidit lentement.

pain de Maryse

Voici donc la recette de base à partir de laquelle Maryse brode chaque semaine.

DONNE 4 GROS PAINS OU 8 PETITS PAINS

la levure

½ c. à café (½ c. à thé) de sucre
125 ml (½ tasse) d'eau tiède
1 sachet de levure de 8 g ou 2 c. à café
(2 c. à thé)

la pâte

1,5 litre (6 tasses) d'eau tiède
1 c. à soupe de sel
2 c. à soupe d'huile d'olive ou de tournesol
1 c. à soupe comble de miel
Environ 1,5 kg (3 ¼ lb) de farine à pain

la levure

Diluer le sucre dans l'eau, puis y saupoudrer la levure. Laisser dans un endroit sans courant d'air de 10 à 15 min.

la pâte

Verser l'eau tiède dans un très grand bol de plastique et y faire dissoudre au mieux le sel.

Incorporer l'huile et le miel en brassant avec une cuillère de bois. Verser graduellement les ⅔ de la de farine et bien mélanger. Ajouter la levure et continuer de mélanger et d'incorporer de la farine en se servant de ses mains. Quand la pâte est encore molle mais assez ferme, la transporter sur le comptoir enfariné et la pétrir. Introduire tout doucement encore plus de farine. Pétrir au moins 10 min, davantage, si nécessaire.

Huiler le bol de plastique, puis y verser la pâte. Recouvrir d'un linge humide et déposer dans la « maison » du pain. Plusieurs endroits peuvent servir de « maison » pour le pain : un four dans lequel il reste quelque chaleur, le micro-ondes dont la porte entrouverte permet à l'ampoule de jeter un peu de chaleur, une armoire située pas très loin d'une bouche de chaleur, une table ensoleillée, etc. Laisser lever la pâte environ 2 h ou plus. Le temps est fonction du type de farine, de sa réaction et de la température de la maison. La pâte doit faire un beau dos rond dans le bol.

Abaisser ensuite la pâte en la lançant avec vigueur sur le comptoir légèrement huilé. Après s'être huilé les mains, en faire sortir l'air, puis découper la pâte en pâtons. Mettre les pâtons dans des moules à pain légèrement huilés (ce qu'il n'est plus nécessaire de faire quand on utilise toujours les mêmes moules et qu'on ne les lave pas, se contentant de les essuyer légèrement avec un papier essuie-tout) et mettre les moules dans la « maison » du pain afin de faire lever la pâte de nouveau. Encore une fois, cela peut prendre de 1 à 2 h, selon les conditions.

Enfourner les moules dans un four chauffé à 190 °C (375 °F) dans lequel on a préalablement déposé un petit bol rempli d'eau. Cuire 45 min et démouler au sortir du four. Au pinceau à pâtisserie, enduire les pains d'un peu de beurre mou.

variantes

pain blanc

On emploie de la farine à pain blanche pour obtenir du pain très blanc et de la farine non blanchie pour du pain qui sera de couleur crème tirant sur le gris. La farine biologique moulue sur de la pierre est de loin la meilleure, mais elle n'est jamais complètement blanche. Elle réagira différemment des autres et donnera sans doute un pain plus massif que les farines non bios.

On peut fabriquer diverses variétés de pain en mélangeant les farines. On mélange, par exemple, farine d'épeautre et farine non blanchie, farine multigrains et farine non blanchie ou encore farine de blé entier et farine non blanchie. Les variations sont infinies. On peut aussi faire du pain uniquement avec de la farine d'épeautre, de seigle ou de blé entier, mais le pain sera alors beaucoup plus dense.

pain aux raisins

On met plus de sucre ou de miel dans la pâte. Et on incorpore à la farine des raisins secs ramollis par le trempage dans l'eau

qu'on utilise pour faire la pâte. Au lieu de l'huile, on peut mettre du beurre.

pain au fromage

On ajoute du fromage râpé à pâte dure dans la préparation. Environ 120 g (1 tasse) ou plus, selon la saveur de fromage qu'on veut imprimer.

pain aux fines herbes

On ajoute dans l'eau de préparation environ 15 g (¹/4 tasse) d'herbes de Provence et de 1 à 2 c. à soupe de sauce soya ou tamari.

pain au chocolat blanc

Une cousine de Maryse, Chantal Lagrandeur, lui a donné cette recette de pain au chocolat blanc dont elle raffole. C'est, il faut bien le dire, un délice, mais qui n'est pas sans conséquences quand on surveille son tour de taille. Il ne faut donc pas en abuser.

DONNE ENVIRON 4 PAINS
DE DIMENSIONS MOYENNES

la levure

1 sachet de levure de 8 g ou 2 c. à café
   (2 c. à thé)
125 ml (¹/2 tasse) d'eau tiède
¹/2 c. à café (¹/2 c. à thé) de sucre

la pâte

1 kg (2 ¹/4 lb) de farine à pain blanche
Environ 1 litre (4 tasses) d'eau
450 g (1 lb) de brisures de chocolat blanc

la levure

Diluer le sucre dans l'eau, puis y saupoudrer la levure. Laisser dans un endroit sans courant d'air pendant environ 10 à 15 min.

la pâte

Suivre la même méthode que pour le pain de Maryse en incorporant les brisures de chocolat dans la préparation de la pâte. Il faut aussi suivre toutes les indications pour faire lever la pâte.

On peut faire cuire la pâte après l'avoir coupée dans le sens de la longueur et l'avoir déposée sur une plaque couverte de papier parcheminé ou dans des moules à pain préalablement huilés.

PANAIS

Il n'y a qu'un légume plus fin que le panais, c'est le salsifis, mais il coûte cher et il est difficile à trouver autrement qu'en conserve. Et en conserve, mieux vaut le laisser aux autres... comme les asperges en conserve.

Achetez donc des panais. Leur goût se rapproche de celui des salsifis... et ils ne vous noircissent pas les doigts quand vous les épluchez.

La chair du panais est tendre comme un cœur de mère, elle est finement sucrée parce qu'on ne cueille pas les panais avant qu'ils aient gelé et elle a un arôme extraordinaire.

Quand je suis à Paris, je ne mange pas de panais parce que les Français ont décidé qu'il s'agissait d'un légume anglais ! Il n'y a donc plus qu'en Bretagne et dans quelques endroits

de Normandie où l'on continue de cultiver le panais.

Si vous êtes fatigués des purées de pommes de terre, essayez donc une bonne purée de panais. Vos convives vous remercieront jusqu'au dessert.

Les panais font aussi une merveilleuse entrée ou un excellent accompagnement. Voici l'une de mes façons de les cuisiner.

panais gratinés

POUR 4 PERSONNES EN ENTRÉE OU EN PLAT D'ACCOMPAGNEMENT

1 paquet de panais

1 c. à soupe de vinaigre blanc

2 à 3 c. à soupe de farine

160 ml (²/₃ tasse) de crème à fouetter

1 ou 2 jaunes d'œufs

40 g (¹/₃ tasse) de parmesan fraîchement râpé

1 c. à café (1 c. à thé) de zeste de citron haché très finement

Sel et poivre du moulin

1 c. à café (1 c. à thé) de muscade

Éplucher les panais un à un, puis les déposer dans un grand bol d'eau additionnée du vinaigre. Couper les panais en bâtonnets égaux d'environ 6 x 1 cm (2 ¹/₂ x ¹/₂ po), donc à peu près comme on le ferait pour des frites. Déposer les bâtonnets dans l'eau vinaigrée.

Mettre de l'eau froide dans une cocotte, ajouter la farine et bien mélanger au fouet. Faire bouillir le tout. Quand l'eau bout, ajouter les bâtonnets de panais et faire cuire sans couvrir jusqu'à ce qu'ils soient al dente. Verser les panais dans une passoire afin de les égoutter.

Fouetter la crème jusqu'à ce qu'elle ait à peu près doublé de volume, mais elle ne doit pas faire de pics. Battre le ou les jaunes d'œufs dans la crème et fouetter 1 min. Ajouter le parmesan râpé, le zeste de citron et bien mélanger.

Disposer les bâtonnets de panais dans des ramequins individuels, saler, poivrer et parsemer de muscade. Napper de la crème. Cuire au four à 180 °C (350 °F) de 10 à 15 min et terminer la cuisson sous le gril afin de faire légèrement brunir.

Servir comme entrée ou comme accompagnement du veau, du porc ou même de la volaille.

purée de panais et céleri
POUR 4 PERSONNES

1 pied de céleri
2 gousses d'ail épluchées
6 à 8 panais, selon la grosseur
1 c. à soupe de jus de citron
60 g (¼ tasse) de beurre
Environ 4 à 6 c. à soupe de crème épaisse
½ c. à café (½ c. à thé) de muscade
    fraîchement râpée
Sel et poivre au goût

Séparer les branches de céleri et les débarrasser de leur bouquet de feuilles. Avec un couteau économe, les peler de manière à enlever le plus gros des fils. Les couper en morceaux d'environ 5 cm (2 po).

Dans une cocotte couverte, les faire bouillir à l'eau froide avec les gousses d'ail. Éplucher les panais, les couper en 2 dans le sens de la longueur, les citronner, puis les ajouter au céleri. Dès que les légumes sont cuits, les égoutter, les remettre sur l'un des feux de la cuisinière à feu doux et les défaire avec un pilon ou une fourchette. Ajouter le beurre, travailler encore, puis ajouter un peu de crème, selon la texture qu'on souhaite donner à la purée. Ajouter la muscade, le sel et le poivre et servir très chaud avec une viande rouge ou une volaille.

PATATE DOUCE

À voir le prix des patates douces, on se demande comment ce légume peut être l'un des plus vendus au monde. C'est vrai qu'on ne les vend pas au même prix en Amérique centrale, en Amérique du Sud, au Moyen-Orient et en Afrique du Nord où on en produit en quantité.

Si je ne suis pas trop friand des pommes de terre, j'aime bien la patate douce. Son goût rappelle un peu celui de la citrouille et des marrons.

La patate douce est excellente en purée. Elle est aussi très bonne sautée. Attention, toutefois, il ne faut pas la traiter comme une pomme de terre. Quand on fait de la purée de patates douces, on n'a pas besoin de beaucoup de crème. On peut aussi ne pas en mettre du tout, se contentant de beurre, de sel, de poivre et de muscade. Et c'est encore au robot culinaire que la patate douce fait la meilleure purée.

Quand on fait sauter les patates douces, on commence par les faire bouillir. La patate douce cuit plus vite que la pomme de terre et quand on souhaite la faire sauter, il ne faut pas la surcuire. On se contente de la cuire al dente, car elle continue de cuire en refroidissant. Une fois que les patates douces ont atteint la température de la pièce, on les coupe en tranches d'environ 0,5 cm (env. $^{1}/4$ po) et on les fait sauter rapidement à feu vif dans une poêle dans laquelle on a mis de la graisse d'oie ou de canard, ou tout simplement de l'huile d'olive.

Lorsque les tranches de patate douce sont bien dorées de chaque côté, on les saupoudre de muscade fraîchement râpée ou on mouille très légèrement de quelques gouttes de jus de citron.

PÂTES ALIMENTAIRES

À la page 273 du tome I d'*Un homme au fourneau*, j'ai écrit, je crois, tout ce qu'il est essentiel de savoir sur les pâtes alimentaires. J'ai relu depuis et je n'y changerais pas une seule ligne.

Je persiste à dire que la plupart des bonnes pâtes sèches qu'on trouve dans le commerce sont meilleures que ces pâtes fraîches enfarinées comme le chat de la fable de Jean de La Fontaine, aussi chères qu'insipides. De grâce, cessons d'encourager ces faux artisans qui profitent des modes pour se lancer dans la fabrication d'aliments dont ils ignorent même les rudiments.

Je ne saurais parler de pâtes alimentaires sans dire un mot du parmesan. J'aimerais qu'on ménage le parmesan! J'ai dit et redit qu'on ne doit pas acheter de parmesan râpé.

Le parmesan, on l'achète en gros bloc et on le râpe à mesure. On le conserve en le recouvrant d'un coton léger ou d'un papier essuietout et on le met ensuite au frigo bien à l'abri dans un petit contenant de nylon ou de plastique qui ferme hermétiquement.

De grâce, ne saupoudrez pas tout de parmesan. En général, les pâtes dont la sauce est à base de tomates, fraîches ou cuites, doivent être mangées sans parmesan, tout comme les pâtes dont la sauce est constituée principalement d'huile : les sauces aux herbes ou à l'huile, par exemple.

Le romano est un excellent substitut du parmesan. Le romano est moins cher et se conserve aussi bien. De temps à autre, histoire de varier, mélangez parmesan et romano en quantités égales.

fettucines aux chanterelles

POUR 2 PERSONNES EN PLAT PRINCIPAL
POUR 4 PERSONNES EN ENTRÉE

100 g (3 $^{1}/2$ oz) de chanterelles fraîches

2 à 3 c. à soupe d'huile d'olive vierge

250 g (env. $^{1}/2$ lb) de fettucines

180 ml ($^{3}/4$ tasse) de crème épaisse

1 grosse noix de beurre

1 c. à soupe de zeste de citron finement haché

Sel

1 c. à café (1 c. à thé) de poivre rose broyé

Muscade fraîchement râpée

1 c. à soupe de parmesan fraîchement râpé (facultatif)

Dans une poêle, faire rissoler les chanterelles quelques minutes dans l'huile d'olive. Réserver.

Faire cuire les fettucines dans l'eau bouillante salée. Pendant ce temps, dans une cocotte en fonte assez grande pour recevoir les pâtes, mettre la crème et le beurre à feu doux pour que la crème épaississe. Ajouter le zeste de citron, le sel, le poivre rose, la muscade ainsi que le fromage, si désiré.

Dès que les pâtes sont cuites, les égoutter, puis les mettre dans la cocotte. Ajouter les chanterelles, bien mélanger et laisser reposer 1 min avant de servir dans des assiettes bien chaudes.

linguines au chou-fleur

Mon amie Andrée Noël, avocate et commissaire au Conseil de la radiodiffusion et des télécommunications canadiennes, me jure qu'avec ces linguines, elle rallie tous les jeunes de son entourage et, croyez-moi, Andrée est toujours entourée de beaucoup de jeunes.

Une réception chez elle, à Magog, ce n'est jamais moins de 24 personnes, et j'ai assisté à un buffet où elle avait invité 70 personnes. En plein hiver! Alors, c'est vous dire qu'il y avait des gens dans toutes les pièces de la maison. J'avais d'ailleurs passé une partie de la soirée assis dans l'escalier avec une invitée qui m'a longuement entretenu de l'euthanasie de son... chien!

Cette recette lui vient de sa grand-mère d'origine italienne.

POUR 4 À 5 PERSONNES

2 litres (8 tasses) d'eau
Sel
1 gros chou-fleur bien frais découpé en petits bouquets
60 ml (¼ tasse) d'huile d'olive extra-vierge
Poivre du moulin
450 g (1 lb) de linguines (n° 11) coupées en trois bouts
60 g (½ tasse) de parmesan fraîchement râpé
Un bon bouquet de persil frais, haché grossièrement

Porter l'eau à ébullition dans un faitout et y mettre le sel. Quand l'eau bout à gros bouillons, ajouter les bouquets de chou-fleur, l'huile d'olive et le poivre. Dès que l'eau a recommencé à bouillir, ajouter les pâtes et faire cuire jusqu'à ce qu'elles soient al dente.

Dès que les pâtes sont cuites, servir, sans les égoutter, dans des assiettes à soupe. Parsemer chaque assiette de parmesan râpé et de persil.

pâtes maison à la hongroise

C'est mon ami Laszlo qui m'a appris à faire ces pâtes qu'on mange régulièrement dans toutes les maisons hongroises et qui s'appellent «Nokedli». En général, on achète toujours les pâtes fabriquées de façon industrielle ou artisanale, on en fait rarement. C'est long et c'est, je l'avoue pour en avoir fait longtemps, un peu fastidieux. Mais ce n'est pas le cas de celles à la hongroise. Elles sont un plaisir à faire et un délice à manger.

POUR 3 À 4 PERSONNES

260 g (2 tasses) de farine tout usage

Une pincée de sel

2 œufs

250 ml (1 tasse) d'eau

Environ 2 à 3 c. à soupe d'huile de
   tournesol, d'arachide ou de canola

Poivre concassé (facultatif)

Herbes (facultatif)

Parmesan ou romano fraîchement râpé
   (facultatif)

Dans un premier temps, il faut vous trouver une plaque métallique trouée ou un repose-plat ou encore un fond de cocotte-minute où il y a une série de trous d'environ 0,5 cm (¼ po) de diamètre. Il ne vous manquera plus qu'un seul outil : un couteau à mastic, de préférence celui dont la largeur est d'environ 8 cm (3 po).

Déposer la farine et le sel dans un bol à mélanger, puis y faire un nid et y briser les œufs. Avec une cuillère de bois, battre les œufs et commencer à y incorporer la farine. Ajouter de l'eau jusqu'à ce que la pâte ait atteint une consistance élastique et relativement ferme, un peu comme de la pâte à pizza avant qu'on la raffermisse en la tournant.

Faire chauffer de l'eau dans une grande cocotte, la saler. Quand l'eau bout, déposer la plaque métallique sur la cocotte ou la tenir dans une main. De l'autre main, y déposer la pâte puis, à l'aide du couteau à mastic, la faire passer par les trous de la plaque.

Pendant ce temps, dans une grande poêle, faire chauffer l'huile.

Dès que l'eau a recommencé à bouillir à gros bouillons, avec une petite passoire ou une cuillère à trous, enlever les pâtes, les égoutter légèrement en agitant un peu la passoire, puis les déposer dans la poêle chaude. Avec une cuillère de bois, les remuer quelques fois, puis les servir telles quelles dans des assiettes chaudes comme accompagnement d'un ragoût de viande, du poulet cacciatore, de bœuf bouilli, d'osso buco ou de n'importe quel plat en sauce.

On peut aussi transférer les pâtes dans un bol de service chaud, les saupoudrer de poivre concassé, d'herbes et de parmesan ou de romano fraîchement râpé, puis les servir telles quelles comme entrée ou plat principal.

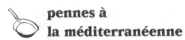

pennes à la méditerranéenne

Chez mon ami Jean LeClerc, comédien, on mange bien. Jean est un de ces hommes qui passent beaucoup de temps le nez dans les livres de cuisine, toujours à la recherche de quelque chose de nouveau à offrir à ses invités.

L'été dernier, par une chaude journée qui ne se prête guère à un long séjour en cuisine, Jean avait préparé des pennes selon une recette donnée à la télévision par Josée di Stasio. J'ai été ravi de ces pennes, tellement que j'ai décidé de vous en donner une version qui ne ressemble pas tellement à celle de Josée, puisque je l'ai fait passer d'italienne à, disons, libanaise.

Je ne crois pas que vous soyez déçus et, si tel était le cas, il vous sera toujours possible de faire la recette de di Stasio en visitant son site Web !

POUR 4 PERSONNES

3 c. à soupe d'huile d'olive

1 c. à soupe d'huile de noix

1 gros oignon jaune haché assez finement

2 c. à soupe de pignons

350 g (12 oz) de veau haché

150 g (5 oz) d'agneau ou de chevreau haché

Sel et poivre du moulin

4 gousses d'ail émincées finement

1 c. à café (1 c. à thé) de zeste de citron haché finement

1/4 c. à café (1/4 c. à thé) de muscade fraîchement moulue

1/4 c. à café (1/4 c. à thé) de cannelle

1/4 c. à café (1/4 c. à thé) de coriandre

1 c. à café (1 c. à thé) de sauce harissa

125 ml (1/2 tasse) de vermouth blanc extra-dry

250 ml (1 tasse) de bouillon de poulet ou de veau

240 g (4 tasses) de feuilles d'épinards frais

12 feuilles de menthe

450 g (1 lb) de pennes de grosseur moyenne

Parmesan fraîchement râpé (facultatif)

Dans une sauteuse ou une grande poêle, faire chauffer les huiles et y faire suer l'oignon à feu moyen en prenant garde qu'il ne rôtisse pas. Dans une petite poêle, faire dorer les pignons sans huile. Ajouter la viande aux oignons en la défaisant avec deux cuillères de bois ou deux fourchettes. Saler et poivrer. Quand la viande a perdu sa couleur rouge, ajouter les pignons, l'ail, le zeste, la muscade, la cannelle et la coriandre. Dissoudre la harissa dans le vermouth, puis verser dans la sauteuse. Laisser cuire à feu moyen jusqu'à ce que le mélange ait absorbé le liquide. Ajouter les deux tiers du bouillon, puis laisser mijoter jusqu'à ce qu'il ne reste presque plus de liquide.

On peut attendre l'arrivée des invités avant de continuer.

Hacher grossièrement les feuilles d'épinards et les feuilles de menthe. Réserver.

Mettre un grand plat de service au four. Entre-temps, faire cuire les pennes selon les indications du fabricant. Faire chauffer le reste du bouillon. Faire chauffer la viande. Quand les pâtes sont cuites, les égoutter, puis les verser dans le plat de service avec le bouillon chaud, les feuilles d'épinards et de menthe. Mélanger délicatement avec deux cuillères de bois, puis ajouter la viande et mélanger encore avec délicatesse. Servir dans des assiettes très chaudes.

On peut, si l'on veut, parsemer de parmesan fraîchement râpé, mais ce n'est pas du tout nécessaire.

spaghettis à l'orientale

POUR 4 À 5 PERSONNES

150 g (env. 5 oz) d'abricots séchés

4 c. à soupe de vermouth blanc extra-dry

200 g (7 oz) de girolles fraîches, de trompettes-de-la-mort ou de chanterelles

4 à 6 c. à soupe d'huile d'olive

1 c. à soupe d'huile de noisette

250 g (env. 1/2 lb) de spaghettis

Un petit bouquet de ciboulette

100 g (3 1/2 oz) de noisettes grossièrement hachées

1 c. à café (1 c. à thé) de cannelle moulue

1 c. à café (1 c. à thé) de muscade fraîchement râpée

1 c. à soupe de coriandre fraîche, grossièrement hachée

Une noisette de beurre

Couper les abricots en petits morceaux, puis les faire tremper au moins 1 h dans le vermouth. Nettoyer les champignons avec une brosse fine ou un morceau de tissu. Dans une grande sauteuse, faire chauffer les huiles. Y faire revenir rapidement les champignons en les remuant constamment. Réserver. Faire cuire les pâtes dans l'eau, mais un peu plus al dente qu'à l'habitude. Lorsqu'elles sont sur le point d'être prêtes, remettre la sauteuse sur le feu, puis y ajouter tout le reste des ingrédients, sauf le beurre. Égoutter les pâtes et les remuer en y ajoutant la noisette de beurre. Les mettre dans la sauteuse et cuire pendant 10 min à feu moyen en remuant de façon presque continue avec deux spatules ou deux cuillères de bois de manière à ne pas briser les champignons. Servir immédiatement dans des assiettes chaudes.

spaghettis au pistou

C'est mon petit-fils Jérémie, qui a travaillé dans les cuisines du restaurant Spaghettata, rue Laurier, à Montréal, qui prépare les pâtes au pistou de cette façon. Je préfère la façon traditionnelle de préparer le pistou, mais cette recette, qui se prépare en un clin d'œil, n'est pas sans intérêt.

À la recette de spaghettis au pistou, Jérémie a ajouté quelques variantes.

POUR 2 PERSONNES

40 g (1/4 tasse) de pignons

10 à 12 feuilles de basilic frais

4 feuilles de menthe fraîche

Un petit bouquet de coriandre grossièrement hachée

Un petit bouquet de persil grossièrement haché

3 gousses d'ail émincées finement

225 g (1/2 lb) de spaghettis

Une noisette de beurre

1 c. à soupe d'huile d'olive

Sel et poivre du moulin

30 g (1/4 tasse) de parmesan fraîchement râpé

Un filet d'huile de noisette

Faire rissoler les pignons dans une grande poêle sans huile jusqu'à ce qu'ils soient bien dorés. Il faut les remuer constamment et se rappeler qu'ils brûlent rapidement une fois qu'ils ont commencé à dorer.

Hacher assez finement les fines herbes et l'ail, puis les mélanger aux pignons hachés aussi.

Faire cuire les pâtes selon les indications figurant sur l'emballage.

Une fois que les pâtes sont presque cuites, faire revenir le mélange de fines herbes et de pignons dans une poêle avec le beurre et l'huile d'olive jusqu'à ce que l'ail commence à dorer légèrement. Bien égoutter les pâtes, les mélanger dans la poêle avec les autres ingrédients, puis ajouter le sel, le poivre et la moitié du parmesan.

Servir dans des assiettes très chaudes, ajouter le filet d'huile de noisette et le reste du parmesan.

variantes

pistou aux olives noires

Remplacer le basilic, la menthe et la coriandre par 45 g (1/4 tasse) d'olives noires ou vertes finement hachées. Ne pas mettre d'huile de noisette.

pistou aux tomates séchées

Faire bouillir de l'eau et la verser sur 30 g (1/2 tasse) de tomates séchées. Recouvrir le tout et laisser ainsi pendant 2 bonnes heures. Égoutter les tomates et les laisser mariner une journée dans l'huile végétale (l'huile d'olive est trop goûteuse), avec 4 gousses d'ail, 2 branches de romarin, un bouquet de persil, 2 c. à soupe de câpres bien égouttées, 2 c. à soupe de vinaigre de framboise et 2 piments forts.

Égoutter les tomates, les passer au robot pour en faire une purée et remplacer le basilic, la menthe et la coriandre par cette purée.

Note : La marinade peut se conserver 1 an au frigo.

spaghettis aux oignons
POUR 4 À 5 PERSONNES

80 ml (1/3 tasse) d'huile d'olive

1 c. à soupe d'huile de noisette ou de noix

960 g (env. 6 tasses) d'oignons tranchés en rondelles très minces

Sel

Poivre du moulin

125 ml (1/2 tasse) de vermouth blanc extra-dry ou de vin blanc dans lequel on ajoute une pincée de sucre

3 c. à soupe de persil frais, haché finement

450 g (1 lb) de spaghettis

80 g (2/3 tasse) de parmesan fraîchement râpé

Mettre les huiles dans une sauteuse, ajouter les oignons, saler et faire cuire à feu doux, très doux même, pendant environ 1 h.

Enlever le couvercle, augmenter le feu et cuire encore jusqu'à ce que les oignons soient bien dorés, presque bruns. Il faut que tout le jus que les oignons ont laissé échapper s'évapore.

Ajouter le poivre et le vin, augmenter le feu et mélanger jusqu'à ce que le vin soit presque complètement évaporé. Rectifier l'assaisonnement en sel, puis ajouter le persil. Remuer.

Faire cuire les pâtes selon les indications du fabricant.

Quand les pâtes sont cuites, les mettre dans un grand bol bien chaud, ajouter les oignons et le parmesan et bien brasser. Servir dans des assiettes bien chaudes.

On peut préparer la sauce à l'avance jusqu'au moment où on ajoute le vin et les derniers ingrédients. On n'a qu'à laisser reposer la sauce à température de la pièce. Au moment de reprendre la préparation de la sauce, il suffit de la faire chauffer à feu assez vif et de continuer ainsi l'opération jusqu'à la fin.

PERCHE

De temps à autre, on trouve chez nos poissonniers de la perche du Nil. Cette perche provient rarement des eaux du Nil, mais plutôt du grand lac Victoria, en Ouganda. Parfois, on vend comme perche du Nil du *snook* de Floride. Ce n'est pas tout à fait la même chose, puisqu'il s'agit là d'un poisson de mer, alors que la perche du Nil est un poisson d'eau douce.

C'est le poisson idéal pour ceux qui n'aiment pas trop le poisson parce qu'il est peu goûteux et qu'il fond dans la bouche (comme la plie ou le turbot de Baffin).

Mais comme tous les poissons peu goûteux, le faire poêler sans autre considération n'est pas très heureux. Il faut lui donner un peu de piquant. Alors, si vous trouvez de la perche du Nil, voici la recette que je vous conseille.

 perche du Nil poêlée
POUR 2 PERSONNES

3 c. à soupe d'huile d'olive bien fruitée
1 oignon jaune tranché en rondelles assez fines
1 filet de perche du Nil d'environ 450 g (1 lb)
Sel
Poivre du moulin
1 c. à soupe de jus de citron
1/2 citron vert pelé à vif et tranché en 4 à 6 tranches fines
Piment d'Espelette séché ou paprika

Dans une grande poêle antiadhésive, mettre à chauffer à feu assez vif les deux tiers de l'huile, puis les rondelles d'oignon. Dès que les oignons sont légèrement tendres, les ranger sur le bord de la poêle, puis y déposer le filet. Cuire environ 3 min, puis les retourner. Saler et poivrer. Cuire environ 3 min encore. Arroser du jus de citron, puis retirer la poêle du feu.

Déposer le filet dans une assiette bien chaude, puis garnir des oignons et des tranches de citron vert. Répartir le reste de l'huile entre les deux assiettes, puis saupoudrer de piment d'Espelette ou de paprika.

Servir avec une salade verte, des haricots verts ou des pommes de terre sautées.

PÉTONCLES

De tous les fruits de mer qu'on trouve dans nos poissonneries, les pétoncles sont parmi les meilleurs et, grâce à Dieu et à la générosité de nos côtes atlantiques, ils ne sont pas encore trop chers. À peu près la moitié du prix qu'on paie en France ou dans d'autres pays d'Europe de l'Ouest.

C'est quasi impossible de trouver dans nos poissonneries des pétoncles qui n'ont pas été congelés, car on les congèle sur les bateaux ou à leur arrivée au port. Dites-vous donc, quand vous voyez des pétoncles dans un comptoir, qu'il y a presque cent pour cent de chances qu'ils aient été congelés. Pas question, donc, d'en acheter pour les faire congeler !

Depuis quelques années, j'ai pris l'habitude d'acheter mes pétoncles congelés en sacs de 2,5 kg (5 lb). Je fourre le sac au congélateur et comme les pétoncles ont été congelés individuellement, je prends uniquement le nombre que je veux utiliser. Je referme le sac avec précaution et je le remets au congélateur. J'enveloppe mes pétoncles dans un linge à vaisselle propre et je les mets au frigo une vingtaine d'heures. Ils sont prêts pour le repas du lendemain soir. Il ne me reste plus qu'à bien les rincer, à les assécher comme il faut dans un autre linge à vaisselle propre et à les faire cuire.

pétoncles à la sicilienne
POUR 2 PERSONNES

10 gros pétoncles

1 c. à soupe d'huile de noisette

2 c. à soupe d'huile d'olive

½ oignon rouge coupé en dés

½ poivron jaune coupé en dés

2 tomates de grosseur moyenne pelées, épépinées et coupées en dés

1 c. à café (1 c. à thé) de zeste de citron émincé très finement

1 gousse d'ail hachée finement

Sel et poivre du moulin

Estragon frais, haché

60 ml (¼ tasse) de vermouth extra-dry

¼ c. à café (¼ c. à thé) de piment d'Espelette séché

Persil frais, haché

Laver les pétoncles, puis les assécher dans une serviette. Dans une grande poêle, mettre l'huile de noisette et la moitié de l'huile d'olive, puis faire revenir à feu moyen l'oignon et le poivron. Dès que les légumes sont tendres, ajouter les tomates, le zeste de citron, l'ail, le sel, le poivre et l'estragon. Dès que les tomates sont légèrement tendres, retirer du feu, mais garder au chaud. Dans une autre poêle assez grande pour recevoir tous les pétoncles en une seule rangée, mettre le reste de l'huile d'olive puis, à feu vif, faire sauter les pétoncles environ 2 min de chaque côté. Dans la dernière minute, ajouter le vermouth, puis laisser réduire.

Répartir les légumes dans une assiette bien chaude, puis y déposer les pétoncles avec leur jus. Saupoudrer légèrement les pétoncles de piment d'Espelette et décorer de persil. Servir immédiatement.

pétoncles aux endives confites
POUR 4 PERSONNES

3 ou 4 belles endives

60 g (¼ tasse) de beurre

Sel et poivre du moulin

180 ml (³/4 tasse) de crème épaisse à température de la pièce

1 à 2 c. à soupe de farine

16 à 20 beaux pétoncles bien frais et sentant la mer

1 c. à soupe d'huile de tournesol

Muscade fraîchement râpée

Un petit bouquet de cerfeuil ou de persil haché

Couper la racine des endives, puis couper les endives au couteau en fines lamelles, dans le sens de la longueur. Les lamelles doivent avoir au plus 0,5 cm (¹/4 po) de largeur.

Faire fondre le beurre dans une cocotte épaisse, y déposer les lamelles d'endive, saler et poivrer au goût, couvrir et faire confire environ 15 à 20 min à feu doux. Enlever le couvercle, ajouter la crème et faire réduire légèrement à feu très doux. La crème doit à peine frémir.

Lorsque la crème a épaissi et réduit d'environ un tiers, mettre la farine sur un papier ciré ou dans une assiette, puis enfariner les pétoncles. Mettre l'huile de tournesol dans une poêle et faire revenir les pétoncles à feu vif de 1 à 1 ¹/2 min de chaque côté. Les pétoncles doivent être à peine cuits.

Répartir les endives confites dans des assiettes chaudes, y déposer les pétoncles, aromatiser de muscade, puis garnir de cerfeuil ou de persil haché.

Servir tel quel ou accompagné d'un riz basmati à peine parfumé.

 pétoncles poêlés

POUR 2 PERSONNES

12 gros pétoncles bien frais

1 c. à café (1 c. à thé) d'huile de noisette

1 c. à café (1 c. à thé) d'huile d'olive

Une noix de beurre

1 c. à soupe d'oignon haché

¹/2 c. à café (¹/2 c. à thé) de zeste de citron jaune haché finement

¹/2 c. à café (¹/2 c. à thé) de zeste de citron vert haché finement

Sel

1 c. à café (1 c. à thé) d'ail haché

3 c. à soupe de vermouth blanc extra-dry

2 c. à soupe de persil frais, haché

Poivre rose grossièrement concassé

Laver les pétoncles à l'eau fraîche, puis les assécher dans une serviette. À feu vif, faire chauffer les huiles et le beurre dans une sauteuse. Quand le beurre est fondu, ajouter l'oignon. Remuer quelques instants, ajouter ensuite les pétoncles et les zestes, puis faire cuire les pétoncles environ 2 min d'un côté, saler et faire cuire 2 min de l'autre après avoir ajouté l'ail. Répartir dans des assiettes très chaudes, déglacer la sauteuse au vermouth, verser de la sauce sur les pétoncles dans chacune des assiettes, puis parsemer de persil et de poivre rose. Servir immédiatement avec une salade verte ou avec des pommes de terre nature.

pétoncles poêlés à la tomate

POUR 2 PERSONNES

12 gros pétoncles bien frais

1 c. à café (1 c. à thé) d'huile de noisette

1 c. à café (1 c. à thé) d'huile d'olive

Une noix de beurre

½ c. à café (½ c. à thé) de zeste de citron jaune haché finement

½ c. à café (½ c. à thé) de zeste de citron vert haché finement

Sel

2 tomates pelées, épépinées et coupées en dés

3 c. à soupe de basilic frais, haché

1 c. à café (1 c. à thé) d'ail haché

3 c. à soupe de vermouth blanc extra-dry

Poivre rose grossièrement concassé

Laver les pétoncles à l'eau fraîche, puis les assécher dans une serviette. Faire chauffer la moitié des huiles et le beurre dans une sauteuse, à feu vif. Quand le beurre est fondu, ajouter les pétoncles et les zestes, puis faire cuire les pétoncles environ 2 min d'un côté, saler et faire cuire 2 min de l'autre. Pendant ce temps, faire sauter très rapidement les tomates et le basilic avec l'ail dans le reste des huiles. Attention de ne pas les faire cuire, il faut seulement les réchauffer. Répartir les pétoncles dans des assiettes très chaudes, déglacer la sauteuse au vermouth, répartir la sauce sur les pétoncles, puis entourer des tomates. Parsemer de poivre rose. Servir immédiatement avec quelques morceaux de pommes de terre sautées.

PIMENT D'ESPELETTE

Le piment d'Espelette était à peu près introuvable en dehors de la France et, surtout, en dehors du Pays basque d'où on le croit originaire. Et il coûtait cher. Je me souviens d'avoir acheté 15 g (½ oz) de piment d'Espelette séché pour environ 15 $. La dernière fois que j'en ai acheté, c'était chez G. Detou (voir Établissements spécialisés, p. 75) et j'en ai fait une jolie provision. Là, je l'ai payé à peu près 22 $ pour 150 g (env. 5 oz). On en trouve au Québec dans quelques épiceries fines et, encore plus incroyable, on peut en cultiver !

La Société des Plantes, à Kamouraska, au (418) 492-2493, vend des graines et on peut se procurer des plants à la Jardinerie Terres Urbaines, 4466, rue Marquette, à Montréal, au (514) 526-2772.

Même si tous les Basques (mon cousin compris) vous jureront dur comme fer que le piment d'Espelette vient de chez eux, détrompez-les gentiment. Ce piment vient du Mexique et c'est Christophe Colomb qui l'a rapporté en Europe au cours d'un de ses voyages.

J'adore ce piment, non seulement parce qu'il décore bien un plat — il est d'une belle couleur rouge orangé —, mais aussi parce que c'est un piment qui ajoute du piquant, sans pour autant vous brûler la langue ni vous chauffer l'estomac. Est-ce à dire qu'on peut en saupoudrer partout comme si c'était du paprika ou une épice tout à fait inoffensive ? Il faut quand même l'utiliser avec sagesse et avec modération.

Le piment d'Espelette fait merveille sur beaucoup de plats gratinés ainsi que sur plusieurs viandes blanches, comme sur la volaille. Il aime les œufs en général, qu'ils soient au plat ou pochés, ainsi que plusieurs légumes verts. Ce piment-là est si délicat qu'on ne le fait pas cuire en même temps que le plat. On se contente d'en assaisonner son plat avec intelligence lorsqu'il est déjà cuit.

POMME

À la page 293 du tome I, j'ai écrit ce qu'il est important de savoir sur les pommes, un fruit qui réglerait la crise de notre système de santé si on en mangeait une tous les jours. *One apple a day keeps the doctor away!* dit le proverbe.

Depuis la parution du premier tome, une chose a changé chez moi : je ne fais plus arroser mon verger avec des produits chimiques. C'était une idée de Maryse ! Elle voulait des pommes bios, certaine que sans arrosage chimique, nos pommes auraient meilleur goût. Eh bien, elle n'avait pas tort. Nous avons mis un frein à tous les arrosages chimiques. Nos pommes ont moins belle apparence, elles portent des tavelures, elles ont même parfois des formes bizarres, mais leur goût est incomparable.

Si vous avez quelques pommiers dans votre jardin, tentez l'expérience. Non seulement vous allez économiser, mais vos pommes auront meilleur goût !

 compote de pommes aux noix d'acajou

POUR 6 À 8 PERSONNES

160 ml (²/₃ tasse) de vermouth blanc extra-dry

160 g (³/₄ tasse) de sucre

Le zeste de ¹/₂ citron jaune coupé en julienne

Le zeste de ¹/₂ citron vert coupé en julienne

Une pincée de sel

1 c. à café (1 c. à thé) d'essence d'amande

1 c. à café (1 c. à thé) d'essence de vanille blanche

¹/₂ c. à café (¹/₂ c. à thé) d'essence de cannelle

Gros comme un pois de gingembre frais, écrasé au mortier

Gros comme un petit pois de muscade écrasée au mortier

¹/₂ c. à café (¹/₂ c. à thé) de clou de girofle moulu

1 bâton de cannelle

6 pommes* pelées, épépinées et coupées en 6 quartiers chacune

2 c. à soupe de calvados

75 g (²/₃ tasse) de noix d'acajou nature

Crème épaisse pour servir

*Utiliser des pommes qui ne se défont pas : Délicieuses, McIntosh, Lobo ou autres.

Mettre le vermouth dans une cocotte avec le sucre et faire chauffer en brassant jusqu'à ce que le sucre soit dissous. Ajouter les zestes ainsi que le sel et les essences, de même que les autres épices et le bâton de cannelle. Dès que le tout bout à gros bouillons, faire réduire d'environ un tiers. Ajouter les pommes. Faire bouillir sans couvercle à feu très vif jusqu'à ce que les quartiers de pomme soient tendres quand on les pique. Retirer du feu, ajouter le calvados et laisser tiédir.

Préchauffer le four à *broil*.

Pendant que les pommes cuisent, mettre les noix d'acajou sur une tôle et les faire rôtir légèrement sous le gril en les déplaçant fréquemment afin qu'elles ne brûlent pas.

Verser la compote dans un compotier, y répandre les noix d'acajou et servir tiède avec de la crème épaisse ou telle quelle avec des doigts de dame.

POMME DE TERRE

Les pommes de terre ne sont pas ma tasse de thé, mais j'avoue que les petites pommes de terre nouvelles sont irrésistibles. Elles sont irrésistibles comme quelques variétés françaises qu'on vend dans certains établissements spécialisés (Chez Louis, au Marché Jean-Talon, entre autres). Parmi ces dernières, la ratte et la belle de Fontenay sont de vrais joyaux. La ratte est la Rolls des pommes de terre. Cultivée au Touquet, à l'île de Ré ou à l'île de Noirmoutier, elle est chère, grisâtre et biscornue, mais vous ne trouverez jamais meilleure qu'elle pour accompagner un poisson ou faire un navarin. La belle de Fontenay est jaune et possède une chair à grain très fin. Elle a un petit goût de noisette.

La Roseval est aussi pleine de qualités. Elle a la peau rosée, sa pulpe est très ferme, jaunâtre et veinée de rouge. Elle remplace bien la ratte. C'est un véritable crime de faire de la purée avec l'une de ces trois variétés.

En France, on trouve sur tous les marchés plus d'une vingtaine de variétés de pommes de terre. Au Québec, en règle générale, jamais plus de trois ou quatre variétés. Une pitié ! Je souhaite seulement que les Québécois cessent d'acheter leurs pommes de terre sans discrimination. Les producteurs deviendront peut-être alors plus consciencieux et cesseront de nous vendre n'importe quoi.

 pommes de terre sautées aux pignons

POUR 4 PERSONNES

4 belles pommes de terre

2 c. à soupe d'huile d'olive

1 c. à soupe d'huile de noix

Sel

40 g (¼ tasse) de pignons

3 gousses d'ail hachées finement

Poivre du moulin

Bien nettoyer les pommes de terre, mais ne pas les éplucher. Les faire bouillir jusqu'à ce qu'elles soient à moitié cuites. Les assécher et les laisser refroidir. Faire chauffer les huiles dans une grande poêle (employer 2 poêles, si nécessaire) et, quand elles sont chaudes, y déposer les pommes de terre coupées en rondelles d'environ 1 cm (env. ½ po). Laisser dorer de 2 à 3 min. Saler légèrement. Retourner

les pommes de terre, ajouter les pignons
et laisser dorer encore de 2 à 3 min.
Une minute avant la fin, ajouter l'ail
et faire dorer très légèrement. Rectifier
l'assaisonnement en sel, si désiré, et
parsemer de poivre du moulin. Déposer
dans un plat de service et servir très chaud.
Préférablement avec du veau.

PORC

Quel dommage qu'au Québec nous ne puissions
plus nous régaler de bon porc fermier, ce porc
élevé au grand air, mangeant restes de table,
légumes, grains et moulées, à chair rose très
foncée et qui a presque un goût de noisette.
On doit se contenter de porcs élevés en batterie à la chair rose pâle et presque blanche,
parfois grasse comme ce n'est pas permis.

Si vous habitez la campagne... ou la
France, vous pourrez, avec un peu de chance,
trouver du porc fermier.

échine de porc braisée

*C'est sans doute l'une des meilleures
parties du porc et elle ne coûte presque
rien. Elle est beaucoup moins sèche et plus
grasse que le filet.*

POUR 3 PERSONNES
1 morceau d'échine de porc d'environ 4 à
    5 cm (1 ½ à 2 po) d'épaisseur
1 gousse d'ail coupée en 3 ou 4 morceaux

la marinade
Gros sel et poivre du moulin
1 feuille de laurier
1 c. à café (1 c. à thé) de zeste de citron
    finement haché
5 grains de coriandre
3 baies de genièvre
¼ c. à café (¼ c. à thé) de cumin en poudre
1 gousse d'ail hachée très finement

la préparation
2 c. à soupe d'huile d'olive
½ oignon jaune haché grossièrement
4 c. à soupe de vermouth blanc extra-dry
160 ml (⅔ tasse) de bouillon de poulet ou
    de veau
Sel et poivre au goût
Quelques gouttes de sauce à brunir
1 c. à soupe de farine tout usage

Avec la pointe fine d'un couteau, faire 3 ou
4 incisions dans l'échine et y piquer les
morceaux d'ail.

la marinade
Mettre tous les ingrédients de la marinade
dans un mortier, réduire en poudre, puis en
enduire le morceau d'échine. Laisser ainsi
de 4 à 6 h à température de la pièce.

la préparation
Faire chauffer l'huile d'olive dans une
cocotte de porcelaine émaillée ou dans
n'importe quelle cocotte à fond épais ayant
un couvercle. Quand l'huile est chaude, y
faire revenir l'échine de tous les côtés
jusqu'à ce qu'elle soit bien dorée. Réserver
l'échine au chaud dans une assiette. Mettre
l'oignon dans la cocotte, faire cuire

quelques instants, puis déglacer au vermouth. Laisser réduire de moitié, ajouter le bouillon, laisser réduire légèrement, saler, poivrer, ajouter la sauce à brunir et remuer.

Saupoudrer de farine l'échine de porc, puis la déposer dans la cocotte. Mettre la cocotte sous le gril du four et faire dorer la farine. Couvrir et cuire au four à 180 °C (350 °F) pendant environ 1 h.

Mettre l'échine dans une assiette de service bien chaude, nappée de sa sauce et découper en biais des tranches de l'épaisseur souhaitée. Servir avec un légume vert de préférence, avec une purée de légumes ou des pommes de terre brunes.

Pour obtenir de délicieuses pommes de terre brunes : Éplucher les pommes de terre, puis les faire rissoler à feu vif sur toutes leurs faces en les remuant constamment avec une cuillère de bois. Quand elles sont bien rissolées, les ajouter à l'échine environ 30 min avant la fin de la cuisson.

rôti de porc du dimanche

Peut-être ce rôti est-il un peu long à préparer, mais une fois qu'il est cuit, tout y est : on a alors un seul plat qui contient tout. Une aubaine quand il s'agit de servir.

POUR 6 PERSONNES

la marinade sèche

1 c. à soupe de graines de cumin
3 feuilles de laurier
6 baies de genièvre
1 gousse d'ail hachée très finement
2 clous de girofle
1 c. à soupe de gros sel
10 à 12 grains de poivre noir
1 c. à café (1 c. à thé) d'herbes de Provence
2 c. à café (2 c. à thé) de romarin séché
10 grains de coriandre
1 c. à soupe de zeste de citron haché finement

le rôti

1 rôti de porc d'environ 1,3 kg (3 lb), de préférence dans le faux-filet, désossé et roulé
2 gousses d'ail coupées en fines lamelles
1 morceau de poitrine de porc fumée d'environ 225 g (½ lb)

la marinade sèche

Dans un mortier, écraser tous les ingrédients de la marinade sèche et réserver.

le rôti

Avec la pointe d'un couteau, piquer le rôti à plusieurs endroits, puis y insérer les lamelles d'ail. Enduire ensuite toutes les faces du rôti de la marinade sèche. Faire de même du morceau de poitrine fumée. Déposer dans une assiette, recouvrir de pellicule plastique, puis laisser mariner au frigo de 24 à 36 h. Sortir le rôti et le laisser chambrer environ 5 h avant la cuisson.

10 g (¼ tasse) de champignons sauvages
   séchés

3 c. à soupe de calvados

1 c. à soupe comble de farine

500 ml (2 tasses) de bouillon de poulet

160 ml (⅔ tasse) de vermouth blanc extra-dry

1 c. à café (1 c. à thé) de sauce
   Worcestershire

1 c. à soupe de sauce à brunir du commerce

12 oignons jaunes de grosseur moyenne

60 ml (¼ tasse) d'huile d'olive

2 grosses carottes épluchées et coupées en
   morceaux de 2 cm (¾ po)

12 petites pommes de terre

Réhydrater les champignons sauvages en les faisant tremper environ 2 h dans un verre d'eau chaude. Réserver.

Préchauffer le four à *broil*.

Dans une sauteuse, faire rissoler à feu vif le rôti encore enduit de sa marinade sèche, de tous les côtés, ainsi que le morceau de poitrine fumée. Quand ils ont bien rissolé, déglacer au calvados, laisser réduire et déposer avec le jus de cuisson dans une cocotte de porcelaine émaillée assez grande pour contenir la viande et les légumes. Saupoudrer le rôti de farine, mettre sous le gril jusqu'à ce que la farine ait bruni, sortir du four et réserver.

Mettre au four à 180 °C (350 °F).

Égoutter les champignons dans un chinois garni d'une feuille de papier essuie-tout et conserver leur eau. Enlever l'essuie-tout et bien rincer les champignons sous le robinet afin de les débarrasser de toutes leurs impuretés. Les déposer sur et autour de la viande.

Dans la sauteuse, porter le bouillon à ébullition et faire réduire légèrement. Ajouter le vermouth, faire réduire encore légèrement, ajouter ensuite l'eau des champignons, la sauce Worcestershire ainsi que la sauce à brunir et faire réduire encore un peu. Ajouter au rôti et mettre au four environ 1 h.

Éplucher les oignons en coupant légèrement la racine, et non la tige, afin qu'ils ne cherchent pas à se développer à la cuisson. Éplucher aussi les pommes de terre et les mettre dans de l'eau froide. Réserver.

Verser la moitié de l'huile d'olive dans la sauteuse et, à feu vif, y faire rissoler les oignons en les tournant constamment avec deux cuillères de bois jusqu'à ce qu'ils soient bien dorés. Les déposer dans un bol jusqu'au moment de l'utilisation. Remettre un peu d'huile dans la sauteuse et y faire rissoler de la même manière les carottes et les pommes de terre. Quand elles sont bien dorées, retirer du feu.

Quand le rôti a cuit 1 h, le retourner, puis ajouter les oignons dans la sauce. Remettre au four. Environ 20 min plus tard, ajouter les pommes de terre et cuire encore à peu près 20 min. Une fois cuit, le rôti peut attendre environ 30 min au chaud. Si on le souhaite, on peut interrompre la préparation après avoir fait rissoler oignons et pommes de terre, puis reprendre la cuisson quelques heures plus tard. À ce moment-là, on reprend la cuisson sur la cuisinière et, quand le bouillon frémit, on enfourne.

POT-AU-FEU

Il n'y a pas plus familial et plus convivial qu'un pot-au-feu, mais qu'on ne s'y trompe pas, le pot-au-feu ne souffre aucun raccourci.

Le plat de côte de bœuf ou le jarret (que les Français appellent gîte) sont d'excellents morceaux pour le pot-au-feu. Le secret, c'est de ne pas faire désosser la viande, car le pot-au-feu a besoin de la moelle et de la gélatine qui entoure les os. C'est bien sympathique de prévoir aussi un morceau d'os à moelle pour chacun des convives. Si on ne veut pas un bouillon trop gras, on fait d'abord blanchir les os à moelle pendant une dizaine de minutes afin de les libérer de leur gras. Pas plus de 30 min avant de servir le pot-au-feu, on les intègre dans la grande marmite en les plongeant bien dans le bouillon entre les légumes.

Quand on sert un pot-au-feu, on a le choix : ou on le sert avec un bouillon qui n'est pas entièrement clair ou on passe le bouillon au chinois pour qu'il soit limpide. Si passe le bouillon, on économise du temps, puisqu'on n'a pas à attacher les herbes ensemble ni à peler la tomate.

les légumes

Un autre secret du bon pot-au-feu, c'est de blanchir les légumes individuellement. On peut aussi, c'est ma méthode, les faire sauter rapidement à feu vif dans un peu d'huile d'olive. Cela emprisonne la saveur des légumes. Il faut néanmoins toujours faire blanchir le navet et les branches de céleri dont le goût est nettement trop prononcé.

Le choix des légumes est infini, mais il y a des musts. Comment faire un pot-au-feu digne de ce nom sans navet, carotte, céleri, panais et poireaux ? Il y a aussi d'autres légumes dont on peut se passer, mais qui agrémentent bien le pot-au-feu : les haricots beurre (jaunes), 1 tête d'ail dont on a séparé et pelé les gousses, les pommes de terre (surtout les pommes de terre primeurs) et le chou, qu'il faut faire bouillir à part si on ne veut pas donner un goût désagréable au bouillon. Tous les autres sont superflus, sauf peut-être les haricots verts si on n'a pas de jaunes.

On ne garde que le blanc des poireaux. On sectionne à demi chaque poireau dans le sens de la longueur afin de pouvoir bien les laver sous le robinet et on les attache ensuite solidement avec de la corde de boucher.

Petit secret de cuisson : les légumes de terre (navet, carotte, pomme de terre, etc.) cuiront mieux s'ils ont sensiblement la même grosseur. Il faut donc les couper en conséquence.

Enfin, j'aime bien ajouter à mon pot-au-feu un bon bloc de lard salé très maigre que je dessale avant de le faire rissoler avec le morceau de bœuf.

La deuxième recette que je vous livre ici est un pot-au-feu de la mer. Ceux qui raffolent du poisson l'apprécieront tout autant que le pot-au-feu traditionnel.

pot-au-feu traditionnel

POUR 6 PERSONNES

pour la viande

225 g (¹/₂ lb) de lard salé très maigre

2 c. à soupe d'huile d'olive

1 kg (2 ¹/₄ lb) de bœuf à bouillir

1 grosse carotte coupée en rondelles

1 branche de céleri coupée en petits
morceaux

125 ml (¹/₂ tasse) de vermouth blanc
extra-dry

1 tomate coupée en gros morceaux

3 gousses d'ail pelées et coupées en
morceaux

1 oignon jaune piqué de 12 clous de
girofle

2 feuilles de laurier

10 grains de poivre

Un petit bouquet de sauge ou de thym

250 ml (1 tasse) de bouillon de poulet

Environ 3 litres (12 tasses) d'eau

pour les légumes

On peut choisir ses légumes préférés ou
s'inspirer de ceux qui sont suggérés à la
page précédente.

pour la viande

Faire dessaler le morceau de lard salé en le
faisant tremper ¹/₂ journée dans de l'eau
froide. Le mettre dans une cocotte remplie
d'eau froide et porter à ébullition. Laisser
refroidir et réserver.

Dans une cocotte assez grande pour
contenir tous les légumes, faire chauffer
l'huile à feu vif, puis y faire rissoler le
morceau de bœuf et le lard de tous les
côtés. Sortir la viande de la cocotte et la
réserver au chaud.

Dans le gras qui tapisse la cocotte, faire
sauter la carotte et les morceaux de céleri,
ajouter le vermouth et laisser réduire de
moitié, ajouter ensuite la tomate, l'ail,
l'oignon, tous les aromates ainsi que le
bouillon. Porter à ébullition, puis remettre
la viande dans la cocotte et ajouter de
l'eau jusqu'à hauteur de la viande.

Cuire au moins 4 h, mais à petits
bouillons seulement.

Après ce temps, enlever la viande,
réserver au chaud et passer le bouillon.
On peut le passer sans presser les légumes
(le bouillon restera très clair) ou presser les
légumes (le bouillon sera brouillé, mais
plus goûteux).

pour les légumes

Blanchir les légumes choisis ou les sauter à
la poêle. Remettre la viande dans le bouillon,
puis ajouter graduellement les légumes
choisis (selon leur temps de cuisson).

Servir dans des assiettes creuses avec
de petits cornichons et de la fleur de sel.

pot-au-feu de la mer

*J'ai mangé ce pot-au-feu pour la
première fois chez Louise-Anne, la sœur de
Maryse. C'est beaucoup plus facile à réaliser
que la bouillabaisse et, surtout, c'est un
pot-au-feu bien adapté aux poissons que
nous offrent les étalages du Québec.*

Pot-au-feu

La version que je vous en présente peut
être simplifiée si l'on fait le pot-au-feu avec
un fumet de poisson déjà préparé ou en
conserve et si l'on remplace les tomates par
du jus de tomate ou du jus de légumes. On
peut aussi omettre le safran, assez coûteux,
et le remplacer par de l'aneth et du persil ou
par un bouquet de fenouil haché. Dans ce
cas, mieux vaut oublier la cardamome dont
la saveur ne se marie pas très bien à celle de
l'aneth ou du fenouil.

POUR 10 À 12 PERSONNES

le bouillon

1 litre (4 tasses) d'eau
250 ml (1 tasse) de vermouth blanc
    extra-dry
Le squelette d'un vivaneau
2 gousses d'ail pelées et légèrement écrasées
1 c. à café (1 c. à thé) de cardamome bien
    écrasée
1 petite branche de céleri aromatique ou
    1 branche de céleri ordinaire
3 grosses tomates coupées en dés
Sel et poivre du moulin
1 c. à soupe de pâte de tomate

les légumes

4 branches de céleri coupées en morceaux
    de 6 cm (2 1/2 po)
1 petit navet ou la moitié d'un gros coupé
    en gros dés
4 panais coupés en rondelles
2 blancs de poireau coupés en rondelles de
    1 cm (env. 1/2 po)

4 carottes coupées en rondelles
1 c. à café (1 c. à thé) de safran en poudre
    ou en filaments
2 courgettes coupées en dés

les poissons et fruits de mer

2 filets de vivaneau coupés en gros morceaux
125 g (env. 1/4 lb) de lotte coupée en
    morceaux
125 g (env. 1/4 lb) de morue coupée en
    gros morceaux
125 g (env. 1/4 lb) de turbot coupé en gros
    morceaux
125 g (env. 1/4 lb) de saumon coupé en
    gros morceaux
12 à 18 crevettes entières, mais décortiquées
12 pétoncles coupés en 2

le bouillon

Dans une grande casserole qui peut
contenir tout le pot-au-feu, faire d'abord
le bouillon en portant eau et vermouth à
ébullition avec le squelette de vivaneau
enveloppé dans une mousseline à fromage
pour qu'aucune arête ne s'échappe. Après
20 min exactement, enlever les os de
vivaneau, puis ajouter l'ail, la cardamome,
le céleri, les tomates, ainsi que du sel et
du poivre. Faire bouillir de 20 à 30 min.
Couler le bouillon, puis le remettre dans
la casserole. Ajouter la pâte de tomate et
remettre à bouillir 5 min.

les légumes

Ajouter le céleri, le navet, le panais, les
poireaux et les carottes. Faire bouillir

environ 10 min, puis ajouter le safran
et les courgettes.

les poissons et fruits de mer

Ajouter ensuite tous les poissons et les
crevettes. Après 5 min, ajouter les pétoncles
et cuire encore 5 min, tout au plus. Rectifier
l'assaisonnement en ajoutant sel et poivre
au goût.

Servir dans des assiettes à soupe très
chaudes avec du pain légèrement grillé.

POTÉE

Les potées ont souvent mauvaise réputation.
Au collège, lorsque nous étions pensionnai-
res, chaque fois que nous arrivait de la cuisine une « potée » faite par les religieuses, on
la baptisait automatiquement « chiard », ce
qui est encore plus péjoratif. C'est dommage
parce que les potées comptent parmi les plats
les plus savoureux.

En fait, on pourrait appeler potées de
nombreux plats, puisque ce mot s'applique à
tous les plats pour lesquels on n'a pas réussi
à trouver un nom plus précis comme choucroute, pot-au-feu ou ratatouille — qui sont
aussi des potées, ne vous en déplaise.

Je vous propose donc deux potées. Et,
pour les faire mieux avaler à vos convives,
vous n'avez qu'à leur trouver un nom plus
précis... et plus snob !

potée d'anguille

*L'anguille, qui naît en mer mais vit
en eau douce, est un poisson qui n'a pas très
bonne réputation. Certains prétendent
qu'elle est pleine de mercure, ce qui n'est
pas forcément faux, mais quand on en
mange juste une fois de temps à autre, ce
n'est pas pire que la plupart des autres
poissons. C'est vrai aussi que les anguilles
qui vivent dans des eaux polluées ne sont
pas bonnes. Elles goûtent littéralement la
vase. La plupart des anguilles qu'on vend au
Québec sont pêchées dans le Bas-du-Fleuve,
notamment à l'île aux Coudres, et sont
d'assez bonne qualité.*

*Plusieurs détestent manger un poisson qui
a l'allure d'un serpent. Une fois dans l'assiette,
pourtant, l'anguille a perdu ses airs de serpent,
car on la cuit toujours en tronçons d'environ
5 à 7 cm (2 à 3 po) de longueur.*

*C'est Antoinette d'Amour, la femme d'Alva
Arseneau, des Îles-de-la-Madeleine, mère de
mon amie Jocelyne Arseneau, pathologiste à
l'hôpital Royal Victoria de Montréal, qui m'a
donné cette façon d'apprêter l'anguille. Elle
ne reconnaîtra peut-être pas sa recette, car
je l'ai pas mal trafiquée. Par ailleurs, la
coquine n'a pas voulu me donner sa recette
de pâté au maquereau. Je la condamne donc
à continuer de me donner un pâté quand je
lui rends visite !*

POUR 4 À 5 PERSONNES

le court-bouillon

2 litres (8 tasses) d'eau

1 carotte coupée en rondelles

1 feuille de laurier

5 grains de coriandre

5 baies de genièvre

½ oignon tranché grossièrement
Sel et poivre du moulin

la potée

30 g (¼ tasse) de farine
4 pommes de terre
115 g (¼ lb) de lard entrelardé très maigre
1 à 2 c. à soupe d'huile d'olive
Environ 250 ml (1 tasse) d'eau
60 ml (¼ tasse) de vermouth blanc extra-dry
1 oignon jaune émincé finement
2 gousses d'ail émincées finement
1 anguille d'environ 1 kg (2 ¼ lb)
Un petit bouquet de thym frais, émincé
Sel et poivre du moulin

Préchauffer le four à 220 °C (425 °F).

le court-bouillon

Mettre l'eau et tous les ingrédients du court-bouillon dans une cocotte, porter à ébullition et faire mijoter environ 30 min.

la potée

Dans une poêle, faire griller la farine à feu vif en remuant constamment avec une cuillère de bois. Dès qu'elle est d'une belle couleur brun clair, la verser dans un petit bol et réserver.

Éplucher les pommes de terre et les couper en tranches d'environ 0,5 cm (¼ po) comme pour faire un gratin dauphinois. Les mettre dans une cocotte remplie d'eau salée et les faire blanchir jusqu'à ce qu'elles soient presque al dente. Égoutter et réserver.

Dans une poêle ou une sauteuse, faire fondre le lard entrelardé coupé en gros dés dans un peu d'huile d'olive. Dès qu'il est cuit, ajouter la farine grillée tout en remuant pour en faire une pâte lisse. Ajouter l'eau et le vermouth tout en continuant de remuer jusqu'à l'obtention d'une belle sauce assez claire. Ajouter l'oignon et l'ail et faire mijoter doucement.

Pendant ce temps, déshabiller l'anguille (si le poissonnier ne l'a pas déjà fait) et la couper en tronçons d'environ 5 à 6 cm (env. 2 po) de longueur. Faire des tronçons un peu plus longs si l'anguille est petite.

Plonger les tronçons d'anguille dans le court-bouillon et porter de nouveau à ébullition. Faire cuire ainsi à bons bouillons de 2 à 3 min. Égoutter l'anguille. La mettre dans un plat à gratin allant au four, ajouter les pommes de terre, le thym, le sel et le poivre, puis y verser la sauce avec l'oignon.

Mettre au four préchauffé environ 5 à 6 min. Servir dans des assiettes bien chaudes.

 potée de légumes d'été
POUR 4 À 6 PERSONNES

12 petits oignons blancs
12 petits oignons rouges
3 carottes coupées en rondelles d'environ 1 cm (env. ½ po)
3 panais coupés en rondelles d'environ 2 cm (¾ po)
6 à 8 petites pommes de terre nouvelles
1 petit navet ou 2 rabioles coupés comme des frites

6 à 8 gousses d'ail pelées

2 c. à soupe d'huile d'olive

2 c. à soupe d'huile de noix ou de noisette

Un bon bouquet de thym frais, effeuillé

6 grains de coriandre

4 baies de genièvre

Sel et poivre du moulin

Parmesan fraîchement râpé
  (facultatif)

Préchauffer le four à 180 °C (350 °F).

Ébouillanter quelques minutes les petits oignons pour les peler. Réserver. Faire blanchir tous les légumes, y compris l'ail, en les faisant bouillir environ 4 min. Mettre la moitié des huiles dans un plat à gratin, y déposer les légumes pêle-mêle, y répartir les feuilles de thym, la coriandre et les baies de genièvre, saler, poivrer et arroser du reste des huiles.

Cuire au centre du four préchauffé de 35 à 45 min. Dès que les légumes sont bien al dente, les retirer du four. Si désiré, on peut les saupoudrer d'un peu de parmesan fraîchement râpé.

POTIRON ET POTIMARRON

Même si potiron et potimarron se ressemblent beaucoup, ils ne sont pas synonymes. Le potimarron qu'on trouve depuis peu sur nos marchés a un goût de châtaigne et sa chair semble moins sucrée que celle du potiron (citrouille).

Lorsqu'ils sont juste à point, les deux cucurbitacées ne contiennent pas le même pourcentage d'eau. La plupart des potimarrons en contiendront moins que les citrouilles.

À moins d'en faire des desserts (compote, tarte ou confiture), potirons et potimarrons sont formidables en purée. C'est au four qu'il est préférable de les faire cuire pour qu'ils puissent évacuer une partie de leur eau. On coupe le légume en 2, on le débarrasse de ses graines et de ses « cheveux », puis on place les morceaux sur une lèchefrite et on les enfourne, chair vers le haut, dans un four préchauffé à 230 °C (450 °F). Le temps de cuisson est très variable, mais le légume est cuit lorsqu'on peut le piquer facilement avec une fourchette ou une brochette de bois.

On enlève la chair du légume à la cuillère, on la dépose dans le robot culinaire et on la réduit en purée. On ajoute ensuite du beurre, du sel, de la muscade et peut-être un peu d'ail passé au presse-ail. On mélange encore quelques secondes. On ne gagne rien à ajouter de la crème.

Si la chair est extrêmement mouillée, on peut la mettre dans une cocotte et en faire évaporer l'eau à feu très doux après avoir mis quelques gouttes d'huile au fond de la cocotte pour éviter que le potimarron ou le potiron n'attache.

soupe de potiron
POUR 8 PERSONNES

4 échalotes ou 1 gros oignon jaune, coupé en rondelles

3 c. à soupe d'huile de noix

2 gousses d'ail hachées

2 c. à café (2 c. à thé) de gingembre moulu

1 c. à café (1 c. à thé) de muscade
fraîchement moulue

2 c. à café (2 c. à thé) de cumin moulu

1/2 c. à café (1/2 c. à thé) de clou de girofle
moulu

2 kg (4 1/2 lb) de potiron pelé, épépiné et
coupé en gros morceaux

1,75 litre (7 tasses) de bouillon de poulet

250 ml (1 tasse) de vermouth blanc
extra-dry

Sel et poivre du moulin

250 ml (1 tasse) de crème sure

Coriandre fraîche, effeuillée

Piment d'Espelette séché ou paprika

Faire cuire les échalotes ou l'oignon dans l'huile chaude jusqu'à ce que ce soit tendre, ajouter l'ail, cuire 2 min, puis ajouter toutes les épices. Cuire environ 3 min, puis ajouter le potiron, le bouillon et le vermouth. Saler et poivrer. Porter à ébullition et cuire environ 45 min ou jusqu'à ce que le potiron soit bien tendre.

Passer au mélangeur ou au robot culinaire par petites quantités, puis tamiser.

Au moment de servir, ajouter à chaque portion une grosse cuillerée de crème sure, 6 à 7 feuilles de coriandre fraîche, puis saupoudrer la crème d'un peu de piment d'Espelette ou de paprika.

variante

Cette soupe est également excellente si vous la faites avec une citrouille de la Jamaïque.

PURÉE DE LÉGUMES

Presque tous les légumes se mettent en purée, y compris les haricots verts, car, croyez-le ou non, mes amis de la Baie-des-Chaleurs, au Québec, font traditionnellement une purée de haricots verts et de pommes de terre. Si le mélange n'est pas désagréable au goût, il est par contre assez peu séduisant.

À peu près toutes les purées de légumes se font de la même façon, sauf la purée de pommes de terre, beaucoup plus difficile à réussir malgré les apparences.

Ne vous contentez pas de purées de pommes de terre, car plusieurs autres légumes font d'extraordinaires purées. Les légumes qui font les meilleures purées sont les suivants : navet, panais, céleri, céleri-rave, topinambour, patate douce et citrouille. Les carottes, le chou-fleur et même le brocoli font des purées acceptables, mais je n'en suis pas trop friand.

Pour toutes ces purées, on suit à peu près le rituel des purées de pommes de terre, sauf qu'après avoir réduit ces légumes en purée avec un pilon et avoir incorporé le beurre, on doit les passer au robot culinaire afin d'obtenir une purée bien lisse dont toutes les fibres sont réduites. Si on a besoin de lait, c'est à ce stade qu'on l'ajoute, mais toujours du lait bouillant. Quelques-uns de ces légumes ne demanderont pas de lait du tout, car ils sont déjà bien « mouillés ».

Malgré les apparences, quand on souhaite faire une purée de céleri, il faut en éplucher les branches du côté bombé afin de ne pas se retrouver avec des fibres que même le robot n'arriverait pas à réduire. La muscade, en plus du poivre, constitue presque toujours un assaisonnement de choix.

Il y a des légumes qui ne gagnent rien à être mis en purée. Les rabioles, par exemple, qui contiennent beaucoup trop d'eau.

purée de pois chiches

Si vous fréquentez les restaurants libanais, vous avez sûrement mangé de la purée de pois chiches. C'est un grand classique de la cuisine libanaise. Au moment de l'apéro, cette purée fait une excellente trempette pour des légumes, des bouchées de poisson froid ou simplement des pointes de pain pita. Au Moyen-Orient, elle sert d'accompagnement à divers plats de viande.

DONNE ENV. 600 G (2 1/2 TASSES) DE PURÉE

510 g (2 tasses) de pois chiches en conserve

Le jus de 5 à 6 citrons

5 gousses d'ail

Environ 250 ml (1 tasse) de tahini

Sel au goût

Huile d'olive vierge

Paprika ou piment d'Espelette séché

Bien égoutter les pois chiches. Les réduire en pâte au robot culinaire en ajoutant graduellement le jus de citron afin qu'il y ait suffisamment de liquide pour que la purée se fasse bien. Ajouter l'ail passé au presse-ail, puis le tahini graduellement et le sel. Réduire en une belle purée bien lisse. Au besoin, ajouter du jus de citron ou du tahini. La purée doit avoir la consistance d'une mayonnaise.

On met la purée dans un plat de service, on la « peinture » d'un peu d'huile d'olive vierge et on y parsème un peu de paprika ou de piment d'Espelette.

PURÉE DE POMMES DE TERRE

Je connais peu de purées qu'on fasse aussi mal que celle de pommes de terre. Par paresse ou par ignorance, on fait des pauvres pommes de terre une purée infecte : collante, grumeleuse, sans goût et propre à jeter à la poubelle.

Pour faire une bonne purée de pommes de terre, il y a des règles strictes et les enfreindre, c'est courir le risque d'avoir une purée infâme. Ce sont les Italiens qui ont mis au point le rituel qu'il faut suivre pour en arriver à une bonne purée de pommes de terre et il faut le suivre à la lettre.

D'abord, on épluche les pommes de terre. Avec soin et en extirpant bien tous les yeux qui feraient de vilaines taches dans la purée bien blanche. Il faut ensuite couper les pommes de terre en morceaux, mais des morceaux d'égales proportions afin qu'ils cuisent tous dans le même temps. On met ensuite les morceaux de pommes de terre dans une casserole d'eau froide, on sale et on fait bouillir à gros bouillons. Si on veut une purée à bon goût d'ail, on ajoute à ce stade environ 1 gousse d'ail par pomme de terre. Les pommes de terre sont cuites quand la pointe d'un couteau y pénètre facilement. Il faut les cuire juste à point.

Purée de pommes de terre

On verse ensuite le contenu de la casserole dans une grande passoire pour égoutter les pommes de terre, puis on les remet dans la casserole qu'on pose sur un feu de la cuisinière dont on a diminué l'intensité au plus bas. On assèche ainsi les pommes de terre pendant 2 à 3 min, puis on les pile, mais pas de n'importe quelle façon. On le fait soit à la fourchette, soit avec un presse-purée ou avec un pilon. Si on utilise le pilon, il faut lui imprimer des mouvements de haut en bas, mais jamais circulaires ou horizontaux, car ça «corderait» la pulpe. Dès qu'on a pilé une fois, on ajoute du beurre mou — au moins 225 g par kilo de pommes de terre ou 3 $\frac{1}{2}$ oz par livre — et on pile encore pour incorporer le beurre. Une fois qu'il est incorporé, on ajoute du lait bouillant par petites quantités, puis on abandonne le pilon pour le fouet et on continue d'ajouter du lait bouillant et de fouetter jusqu'à ce que la purée ait atteint la consistance et la légèreté d'une chantilly ou d'une crème épaisse. Il ne faut pas ménager le lait. Les pommes de terre sont de grosses buveuses : 2 $\frac{1}{4}$ verres de lait par kilo ou 1 verre et plus par livre ! On rectifie alors l'assaisonnement en sel, on ajoute du poivre fraîchement moulu (blanc, de préférence), puis de la muscade râpée.

La purée est alors prête à servir et on doit le faire aussitôt, car elle n'attend pas. La seule manière de faire attendre la purée est de la transvider dans un plat à gratin qu'on passera sous le gril quelques minutes avant de servir en y parsemant quelques noisettes de beurre. On peut aussi, si on le désire, ajouter un peu de parmesan râpé.

variantes

Les enfants adorent les purées de pommes de terre. Plusieurs hommes aussi. Si vous avez à table des mangeurs de purée, vous pouvez faire quelques variantes :

• Pour chaque kilo de pommes de terre, ajoutez 2 patates douces ou 1 par livre. Vous obtiendrez une purée d'une belle couleur orangée et d'un goût légèrement différent.

• Pour chaque kilo de pommes de terre, ajoutez 1 céleri-rave ou $\frac{1}{2}$ par livre (coupez des morceaux égaux). Vous obtiendrez une purée plus légère au petit goût d'amande.

• En utilisant moitié topinambours et moitié pommes de terre, vous obtiendrez un goût étonnant. Attention, toutefois, car les topinambours cuisent deux fois plus vite que les pommes de terre.

Quatre-quarts

QUATRE-QUARTS

Il n'existe pas vraiment de recette pour le quatre-quarts, puisque le nom même de ce gâteau de tous les jours en est la recette : un poids égal de farine, de beurre, de sucre et d'œufs auquel on ajoute de la levure chimique, de 1 ½ à 2 c. à café (1 ½ à 2 c. à thé).

Quand on a bien pesé tous les ingrédients, on procède de la même façon que pour tous les gâteaux. On réduit le beurre déjà à température de la pièce en crème, puis on incorpore le sucre, puis les œufs battus un à un et la farine tamisée avec la levure chimique.

Par la suite, toutes les fantaisies sont permises, car on peut parfumer ses quatre-quarts en ajoutant le jus de ½ citron mélangé avec la même quantité de rhum, ou un peu de zeste de citron émincé finement imbibé de rhum ou de Limoncello, ou 2 à 3 c. à soupe de jus d'orange et de Cointreau, ou un peu de zeste d'orange imbibé de Cointreau ou de Grand Marnier, ou un peu de vanille et une quantité égale de curaçao.

Une fois le quatre-quarts cuit (au four à 180 °C ou 350 °F pendant 30 à 40 min), on le laisse refroidir et quand on veut le garder moelleux, on l'enveloppe de papier d'aluminium.

Raie

Rapini

Rhubarbe

Risotto

RAIE

Il y a plusieurs variétés de raies. Celle qu'on mange au Québec vient en général des eaux de l'Atlantique et pèse de 1 à 3 kg (2 ¼ à 6 ½ lb). C'est la raie bouclée. Vous savez ce qu'on en fait aux États-Unis ? On la mange sous forme de pétoncle. En usine, on découpe l'aile de raie avec un emporte-pièce afin de lui donner exactement la forme d'un pétoncle et on la met ainsi sur le marché.

Ce n'est pas si bête, car la chair de la raie a un peu la texture du pétoncle et, si l'on n'a pas le goût trop développé, il est possible de s'y méprendre... Heureusement que les Américains mangent de la raie sous forme de pétoncle, car ils ne sont pas foutus d'en manger sous forme de poisson !

Pour ceux qui s'intéressent aux statistiques, je souligne qu'on trouve dans nos mers une variété de raie qui peut peser deux tonnes et dont l'envergure des ailes atteint jusqu'à 5 m (16 ½ pi). Presque un avion U-2 !

La raie est l'un de ces rares poissons qui se bonifie avec les heures. Une raie qu'on vient de pêcher a une texture molle et n'est pas très goûteuse. On n'a qu'à la garder au froid et, trois jours plus tard, elle aura pris du tonus et sera délicieuse.

Pour un régime minceur, il n'y a pas mieux que la raie. Elle est riche en protéines, ne contient pratiquement ni lipides ni glucides et elle est si peu calorique que c'est un péché de la préparer au beurre noir — comme le font presque tous les restaurants — parce qu'on la charge alors d'acides saturés, donc de mauvais cholestérol.

Si le poissonnier a débarrassé la raie de sa peau, ce que la plupart font, on n'a pas à la brosser, mais il faut quand même la faire tremper.

Comme il est préférable avant de la poêler de cuire d'abord la raie au court-bouillon, mieux vaut l'avoir avec sa peau. Une fois cuite, on la débarrasse de sa peau facilement et la chair conserve alors toute la délicieuse gelée qui l'enveloppe. Mais il est bien possible que dans sa peau la raie vous fasse peur, car ce n'est pas un poisson très ragoûtant, alors faites-la déshabiller, vous l'aimerez quand même !

 aile de raie aux câpres et au beurre fondu

POUR 2 à 3 PERSONNES

4 à 5 c. à soupe de beurre

2 c. à soupe de petites câpres rincées à l'eau fraîche

Un petit bouquet de persil haché très finement

Sel et poivre du moulin

1 aile de raie d'environ 1 kg (2 1/4 lb)

Le jus de 1/2 citron

Prendre 3 c. à soupe de beurre et mélanger avec une fourchette pour en faire une crème. Ajouter les câpres et le persil, un peu de sel et de poivre du moulin et bien mélanger. Faire fondre au micro-ondes ou dans une petite poêle.

Ensuite, faire chauffer à feu vif le beurre qui reste dans une poêle jusqu'à ce qu'il commence à brunir. Y faire dorer à peu près 1 min de chaque côté les portions de raie déjà cuite au court-bouillon (voir recette à droite).

Déposer la raie dans des assiettes chaudes, arroser d'un peu de jus de citron, puis napper du beurre fondu.

 ### aile de raie aux câpres parfumée au citron

POUR 2 À 3 PERSONNES

1 aile de raie d'environ 1 kg (2 1/4 lb)

1 1/2 c. à soupe d'huile d'olive
   vierge

1 c. à soupe de beurre

1 échalote ou la moitié d'un oignon jaune
   coupé en rondelles très minces

2 c. à soupe de petites câpres rincées à
   l'eau fraîche

Un petit bouquet de persil haché très
   finement

1/2 citron épluché et coupé en petits cubes
   d'environ 0,5 cm (1/4 po) de côté

1 gousse d'ail hachée finement

Sel et poivre du moulin

Cuire la raie au court-bouillon (voir recette plus bas). Entre-temps, dans une petite cocotte ou une petite poêle, faire revenir dans l'huile et le beurre, à feu doux, les rondelles d'échalote ou d'oignon jusqu'à ce qu'elles soient transparentes. Fermer le feu, ajouter les câpres, le persil haché, le citron, l'ail, le poivre et un peu de sel. Laisser chauffer 1 ou 2 min.

Répartir la petite sauce aux câpres et au citron sur les portions de raie et servir avec une pomme de terre nature.

 ### aile de raie au court-bouillon

POUR 2 À 3 PERSONNES

1 petite carotte coupée en gros dés

1 branche de céleri coupée en gros dés

1 feuille de laurier

1 oignon jaune émincé

2 ou 3 baies de genièvre

Sel et poivre

1 aile de raie d'environ 1 kg (2 1/4 lb)

Dans une sauteuse assez grande pour recevoir l'aile de raie, préparer un court-bouillon avec de l'eau, la carotte, le céleri, le laurier, l'oignon émincé, le genièvre, le sel et le poivre. Faire mijoter environ 1 h sur l'un des feux de la cuisinière. Pendant ce temps, si la raie a encore sa peau, bien la brosser et la rincer à grande eau.

Cuire la raie dans le court-bouillon en couvrant la sauteuse. Dès que l'eau a recommencé à bouillir, cuire de 8 à 12 min, selon la grosseur de l'aile. Si on veut faire

dorer la raie à la poêle par la suite,
8 min suffisent.

Lorsque la raie est cuite, la retirer du feu,
la poser sur une assiette et enlever la peau.
Détacher la chair du cartilage dorsal,
puis la déposer dans des assiettes déjà
très chaudes.

salade de raie
POUR 2 PERSONNES

3 grandes feuilles de laitue bien fraîche ou
des pousses printanières
200 g (7 oz) de raie pochée, ni trop froide
ni trop chambrée
½ oignon jaune épluché et coupé en
rondelles minces
1 c. à soupe de persil ou de coriandre
fraîche, hachée
2 c. à soupe de câpres fines
2 c. à soupe de jus de citron
3 c. à soupe d'huile d'olive vierge
1 c. à soupe d'huile de noisette
ou de noix
Sel
1 c. à soupe de poivre rose écrasé
grossièrement

Laver et bien égoutter la laitue ou les
pousses, puis les disposer de manière à
couvrir les assiettes. Étendre la raie sur
la laitue, puis y répartir les rondelles
d'oignon, le persil ou la coriandre, ainsi
que les câpres. Arroser du jus de citron,
puis des huiles. Saler légèrement et
parsemer de poivre rose.

Servir en entrée ou en plat principal.

RAPINI

Ce légume d'origine italienne est peu connu,
mais on le trouve de plus en plus sur nos marchés, car les Américains ont commencé à le
cultiver. C'est un légume qui ressemble un peu
au brocoli chinois, mais dont la tête se termine
par une série de boutons de fleurs non éclos.
C'est sans doute l'ancêtre du brocoli...

rapinis gratinés
POUR 4 PERSONNES EN ENTRÉE

1 gros paquet de rapinis bien frais
(les tiges doivent être cassantes)
1 c. à soupe d'huile de noisette ou de noix
2 c. à soupe d'huile d'olive ou de tournesol
Le jus de ½ citron vert ou jaune
2 c. à soupe de beurre
1 c. à café (1 c. à thé) de bon vinaigre
balsamique
Sel et poivre du moulin
80 g (⅔ tasse) de parmesan fraîchement
râpé

Couper le bout des tiges de rapinis d'environ
1 cm (env. ½ po). Faire cuire les rapinis en
les posant sur une marguerite alors que
l'eau bout à gros bouillons dans la marmite.
Cuire au plus 2 min. Retirer les rapinis et
les étendre sur quelques épaisseurs de
papier essuie-tout pour bien les assécher.
Répartir les rapinis également dans 4 plats
à gratin individuels. Faire chauffer environ
15 sec au micro-ondes les huiles, le jus de
citron, la moitié du beurre et le vinaigre.
Émulsionner avec une fourchette, puis
répartir sur les rapinis en essayant de les

enduire le mieux possible de cette sauce. Saler et poivrer. Parsemer également de parmesan râpé et de toutes petites noisettes de beurre. Passer sous le gril jusqu'à ce que le fromage soit bien grillé. Servir immédiatement.

RHUBARBE

C'est encore sucrée que je préfère la rhu-barbe, même si je sais que certains chefs et cuisiniers en font un accompagnement de la viande ou du poisson. La meilleure rhu-barbe est celle du printemps. Par la suite, la deuxième ou la troisième récolte est plus fibreuse et moins parfumée.

compote de rhubarbe
POUR 4 à 6 PERSONNES

125 ml (1/2 tasse) de vermouth blanc extra-dry

210 g (1 tasse) de sucre

Le zeste de 1/2 orange coupée en julienne

Le jus et la pulpe de cette 1/2 orange

Une pincée de sel

1 c. à café (1 c. à thé) d'essence d'amande

1 c. à café (1 c. à thé) de vanille blanche

260 g (2 tasses) de bâtons de rhubarbe coupés en longueurs de 2 cm (3/4 po)

2 c. à soupe de Cointreau ou de Grand Marnier

Mettre le vermouth dans une cocotte avec le sucre et faire chauffer en brassant jusqu'à ce que le sucre soit dissous. Ajouter le zeste d'orange, le jus et la pulpe ainsi que le sel

et les essences. Dès que le tout bout à gros bouillons, ajouter la rhubarbe. Faire bouillir sans couvercle jusqu'à ce que la rhubarbe soit tendre mais non défaite, retirer du feu, ajouter l'alcool et laisser tiédir. Servir tiède avec de la crème épaisse ou tel quel avec des madeleines ou des doigts de dame.

compote de rhubarbe à ma façon
POUR 12 à 15 PERSONNES

160 ml (2/3 tasse) de vermouth blanc extra-dry

140 g (2/3 tasse) de sucre

160 ml (2/3 tasse) de miel

1 bâton de cannelle

1 c. à café (1 c. à thé) d'essence de vanille, blanche de préférence

1 c. à café (1 c. à thé) d'essence d'anis étoilé ou 1 étoile d'anis

1 c. à café (1 c. à thé) de muscade fraîchement râpée

1 c. à café (1 c. à thé) d'essence d'amande

Une pincée de sel

Le zeste de 1 citron entier découpé en fines lamelles

Environ 1 kg (8 tasses) de rhubarbe bien fraîche, non pelée et coupée en bouts d'au plus 2 cm (3/4 po) de longueur

3 c. à soupe de kirsch (facultatif)

Dans une cocotte de cuivre ou de porcelaine émaillée, verser le vermouth, le sucre et le miel. Faire fondre à feu vif en remuant. Quand le mélange est homogène, ajouter tous les autres ingrédients qui restent, sauf la rhubarbe et le kirsch, baisser un peu le feu et laisser réduire de moitié et même un peu plus.

Dans ce sirop épais, ajouter toute la rhubarbe, augmenter le feu et couvrir pendant environ 3 min. Quand la compote a commencé à bouillir, découvrir et cuire environ 3 min. Dès que la rhubarbe est al dente, éteindre le feu, ajouter le kirsch, si désiré, et remuer légèrement. Quand la compote est tiède, la verser dans un bol de service ou un grand compotier. Servir tiède avec de la crème épaisse. La compote peut se conserver environ 1 semaine au réfrigérateur.

Si on a la dent très sucrée, on ajoute plus de sucre, mais il faut alors se rappeler qu'on perd les vertus minceur de la rhubarbe !

gâteau humide à la rhubarbe

POUR 8 PERSONNES

les ingrédients secs

260 g (2 tasses) de farine
1 c. à café (1 c. à thé) de bicarbonate de soude
1/2 c. à café (1/2 c. à thé) de sel

le beurre en crème

120 g (1/2 tasse) de beurre
250 g (1 1/2 tasse) de cassonade
1 œuf

250 ml (1 tasse) de crème sure
260 g (2 tasses) de rhubarbe bien fraîche

la préparation de sucre et noix

105 g (1/2 tasse) de sucre ou, encore mieux, 195 g (2/3 tasse) de sucre d'érable moulu
55 g (1/2 tasse) de noix de Grenoble hachées assez grossièrement
1 c. à café (1 c. à thé) de cannelle
1 c. à soupe de beurre fondu

60 ml (1/4 tasse) de rhum (facultatif)
Sucre à glacer pour la décoration ou crème chantilly légèrement sucrée, aromatisée au kirsch

Préchauffer le four à 180 °C (350 °F).

Tamiser les ingrédients secs et réserver. Réduire en crème le beurre, la cassonade et l'œuf. Réserver. Mélanger tous les ingrédients de la préparation de sucre et noix et réserver.

Mélanger les ingrédients secs avec le mélange de beurre en crème en alternant avec la crème sure jusqu'à l'obtention d'une pâte lisse. Ajouter ensuite la rhubarbe coupée en petits morceaux et mélanger encore.

Verser la pâte dans un moule rectangulaire d'environ 30 x 18 à 20 cm (12 x 7 à 8 po) qui aura été généreusement beurré et enfariné ou couvert d'un papier sulfurisé.

Répartir sur la pâte la préparation de sucre et noix et cuire au four environ 50 min. Vérifier la cuisson du gâteau en le piquant avec un cure-dent. Si rien n'y reste attaché, sortir le gâteau du four, l'arroser de rhum, si désiré, et démouler quand le gâteau est tiède.

Servir après avoir tamisé sur le gâteau une bonne portion de sucre à glacer ou accompagner de crème chantilly légèrement sucrée et aromatisée de kirsch.

RISOTTO

Je parle très longuement du risotto dans le premier tome d'*Un homme au fourneau* et je ne renie rien aujourd'hui de ce que j'ai écrit, malgré les critiques et les gorges chaudes que me font encore beaucoup d'amis et de connaissances qui prétendent que le risotto doit être remué constamment tout le temps de la cuisson. Grand bien leur fasse s'ils veulent passer une demi-heure la bedaine contre la cuisinière, mais je préfère m'occuper à autre chose.

 risotto au magret de canard

POUR 4 PERSONNES

1 magret de canard
Huile d'olive
Sel et poivre du moulin
105 g (1 ½ tasse) de champignons frais (girolles, morilles ou cèpes)
Une pincée d'herbes de Provence
3 ou 4 morceaux de cèpes séchés trempés dans 3 c. à soupe d'eau
Huile de noix ou de noisette
160 g (1 tasse) de riz italien
3 gousses d'ail hachées finement
3 c. à soupe d'oignon haché finement
125 ml (½ tasse) de vermouth blanc extra-dry
500 ml (2 tasses) de bouillon de poulet ou de canard
1 c. à soupe de zeste de citron haché finement
40 g (⅓ tasse) de parmesan fraîchement râpé
1 grosse noix de beurre

Faire chambrer le magret, l'enduire d'environ 1 c. à café (1 c. à thé) d'huile d'olive du côté chair, le saler légèrement, puis l'enduire de poivre du moulin. Le faire poêler à feu vif en commençant par le côté peau. Enlever le gras à mesure qu'il fond dans la poêle. Après 4 à 5 min, retourner le magret et cuire sur l'autre face environ 3 min. Le magret doit rester saignant. Réserver et laisser refroidir.

Bien nettoyer les champignons, couper en 2 ou 3 morceaux les plus gros, et faire poêler à feu vif dans 3 à 4 c. à soupe d'huile d'olive en y ajoutant sel, poivre, herbes de Provence et cèpes réhydratés. Vers la fin de la cuisson, ajouter le jus des cèpes bien filtré afin qu'il n'y reste pas d'impuretés. Laisser réduire entièrement. Retirer du feu.

À feu moyen, faire chauffer environ 2 c. à soupe d'huile d'olive et 1 c. à soupe d'huile de noix ou de noisette, puis ajouter le riz. Remuer constamment pendant 5 à 8 min jusqu'à ce que le riz devienne légèrement nacré. Ajouter ail et oignon, verser le vermouth et le laisser évaporer complètement tout en remuant un peu. Ajouter le bouillon fumant et le zeste, puis laisser cuire à couvert exactement 12 min. Entre-temps, couper le magret en tranches très minces.

Les déposer sur le riz avec les champignons et laisser cuire à couvert encore 4 min. Enlever la casserole du feu, puis mettre le parmesan et la noix de beurre. Couvrir et laisser reposer 2 min exactement. Brasser vigoureusement avec une cuillère de bois. Servir immédiatement dans des assiettes très chaudes.

risotto safrané aux pétoncles

POUR 4 PERSONNES

3 c. à soupe d'huile d'olive

1 c. à soupe d'huile de noix ou de noisette

160 g (1 tasse) de riz italien

3 gousses d'ail hachées finement

3 c. à soupe d'oignon haché finement

125 ml (1/2 tasse) de vermouth blanc extra-dry

500 ml (2 tasses) de bouillon de poisson fumant ou la même quantité de bouillon de poulet et d'eau moitié-moitié

1 c. à café (1 c. à thé) de safran

12 pétoncles bien frais, coupés en 4

Sel et poivre du moulin

40 g (1/3 tasse) de parmesan fraîchement râpé

Une grosse noix de beurre

À feu moyen, faire chauffer les deux tiers des huiles, puis ajouter le riz. Remuer constamment pendant 5 à 8 min jusqu'à ce que le riz devienne nacré. Ajouter l'ail et l'oignon, mettre le vermouth et le laisser évaporer complètement tout en remuant légèrement. Ajouter le bouillon fumant auquel le safran a été incorporé, puis laisser cuire à couvert exactement 12 min. Mettre le reste de l'huile dans une sauteuse ou une poêle et faire sauter les pétoncles à feu vif pendant 2 à 3 min en les remuant constamment. Après 12 min, les ajouter au risotto et refermer la casserole. Deux minutes plus tard, enlever la casserole du feu, poivrer et saler, si nécessaire, puis ajouter le parmesan et la noix de beurre. Couvrir et laisser reposer 2 min exactement. Brasser vigoureusement avec une cuillère de bois et servir immédiatement dans des assiettes très chaudes.

Notes : Certains riz, particulièrement les riz biologiques, mettent plus de temps à cuire. On les laisse alors de 1 à 5 min de plus avant d'ajouter parmesan et beurre.

variante

Toutes les fantaisies sont permises. Pour un risotto aux crevettes, par exemple, utiliser deux tiers de bouillon de poulet et un tiers de jus de palourde. Environ 5 à 6 min avant que le riz soit cuit, ajouter les crevettes décortiquées et une tomate pelée coupée en dés.

Sauces
Saumon
Saumon fumé
Stevia
Sucre d'érable

SAUCES

Il fut un temps où on ne pouvait imaginer la cuisine sans sauce, surtout la cuisine française. Depuis que la cuisine s'est beaucoup allégée, que chacun fait attention à son tour de taille (sans réussir à le diminuer beaucoup, par contre), on préfère les sauces très courtes faites uniquement des sucs de viande ou de poisson qu'on déglace au vin ou à l'eau et qu'on épaissit avec une noix de beurre ou un peu de beurre manié.

Les sauces qui accompagnent les viandes sont très faciles à réussir si on a la précaution de garder tous ses fonds de sauces et de les faire congeler en les identifiant. Même chose pour les bouillons : on ne jette aucun os, qu'il soit d'agneau, de bœuf ou de volaille. On en fait des bouillons qu'on congèle avec une identification appropriée !

sauce maison

Si vous n'avez plus de fonds de sauce, mais qu'il vous reste du bouillon, c'est facile de faire une sauce de la façon suivante.

DONNE 250 ML (1 TASSE)

375 ml (1 1/2 tasse) de bouillon
60 ml (1/4 tasse) de vermouth blanc extra-dry, de vin rouge ou blanc ou encore 2 c. à soupe de brandy ou de cognac
1 c. à café (1 c. à thé) de sauce Worcestershire ou HP
Sel et poivre du moulin
1 c. à soupe comble de beurre manié (voir plus bas)

Faire réduire le bouillon d'à peu près la moitié, ajouter le vermouth, le vin ou l'alcool. Faire bouillir encore de 1 à 2 min pour faire évaporer l'alcool, ajouter la sauce Worcestershire ou HP, saler et poivrer au goût, ramener à ébullition s'il y a lieu, puis épaissir avec le beurre manié. Avec un fouet, battre jusqu'à ce que le beurre soit bien incorporé et qu'il n'y ait plus de grumeaux, faire bouillir de 2 à 3 min, et la sauce est prête. Il ne reste plus alors – et c'est important – qu'à y incorporer les sucs de la viande que vous avez fait cuire après les avoir déglacés avec un peu d'eau ou le même alcool que vous avez employé pour la sauce.

Le beurre manié est souverain pour épaissir une sauce. Il enlève tout goût de farine et il est bien préférable à la fécule. Il faut préférer cette dernière pour épaissir les compotes de fruits.

Du **beurre manié,** c'est 1 c. à soupe rase de beurre et 2 c. à soupe rases de

191

farine qu'on travaille dans un bol avec une fourchette ou une petite cuillère de manière que la farine soit parfaitement incorporée au beurre et que celui-ci ait atteint une consistance crémeuse. Le beurre manié est plus facile à réussir si le beurre est à température de la pièce.

Note : Si on fait plus ou moins de sauce, il faut évidemment ajuster les quantités.

variantes

On peut « personnaliser » cette sauce maison de plusieurs façons. Mes préférées sont les suivantes.

sauce pour une viande

POUR 3 À 4 PERSONNES

2 c. à soupe de champignons sauvages séchés (cèpes, marasmes, morilles, lactaires ou autres)

60 ml (¼ tasse) d'eau froide

4 ou 5 champignons blancs (champignons de Paris)

1 échalote

Un peu d'huile d'olive ou de graisse de canard

1 c. à soupe de brandy ou de cognac

Réhydrater les champignons séchés en les faisant tremper de 1 à 2 h dans l'eau.

Hacher finement les champignons blancs, bien égoutter les champignons sauvages en réservant leur eau, les hacher finement aussi et les mélanger avec les autres. Hacher finement l'échalote. Faire rissoler l'échalote dans un peu d'huile d'olive ou, encore mieux, de la graisse de canard en remuant bien pendant quelques minutes. Ajouter les champignons, faire rissoler en remuant encore de 3 à 5 min, ajouter l'eau des champignons et cuire jusqu'à ce qu'elle soit évaporée. Ajouter l'alcool, le faire évaporer et ajouter à la sauce.

sauce pour une volaille

POUR 3 À 4 PERSONNES

Les abats (foie, gésier et cœur) de la volaille

¼ d'oignon ou 1 petite échalote

Un peu d'huile d'olive

Sel et poivre

1 c. à soupe de cognac

12 olives vertes ou noires (facultatif)

Hacher finement les abats, puis hacher aussi l'oignon ou l'échalote. Les faire rissoler dans l'huile d'olive tout en remuant, saler, poivrer, puis ajouter le cognac. Laisser l'alcool s'évaporer, puis réserver ou ajouter à la sauce si elle est déjà faite.

Comme le canard et la plupart des volailles aiment bien les olives, on peut remplacer les abats par des olives vertes ou noires émincées assez finement. Mais il faut prendre soin de dessaler les olives en les faisant tremper une bonne demi-heure dans l'eau.

trucs et conseils

On peut toujours faire attendre une sauce en y mettant 3 ou 4 petites noisettes de beurre. Elles fondront et feront une couche protectrice. Avant de servir, on fait de nouveau chauffer la sauce, on donne quelques coups de fouet et le tour est joué !

Quand on veut mettre des herbes fraîches dans une sauce (thym, romarin, basilic, etc.), on hache toujours les herbes assez finement, puis on les ajoute à la sauce seulement avant de servir.

S'il reste de la sauce, la verser dans un petit récipient de plastique, l'identifier et la mettre au congélateur. C'est ce qui s'appelle un fond de sauce. Il vous servira tel quel ou vous l'ajouterez à une nouvelle sauce.

Si on souhaite avoir une sauce corsée avec un arrière-goût de vinaigre, à la fin de la fabrication de la sauce, on met 1 ou 2 c. à soupe de vinaigre de vin (rouge ou blanc) ou de vinaigre de framboise et de cassis (si on souhaite avoir un arrière-goût de sucre) et on fait bouillir de 1 à 2 min. On peut aussi mettre du vinaigre balsamique. Si c'est le choix qu'on fait, 1/2 c. à café (1/2 c. à thé) suffit et on l'ajoute à la fin sans faire bouillir de nouveau.

Si le bouillon utilisé pour la sauce est trop gras, le dégraisser dès qu'il a commencé à bouillir. Ma façon de le faire est la suivante : placer la cocotte sur le comptoir ou sur une plaque de bois, prendre quelques feuilles de papier essuie-tout, puis déposer sur le bouillon une feuille à la fois. Jeter la feuille dès qu'elle a absorbé sa part de gras et recommencer avec une autre jusqu'à ce que le bouillon soit suffisamment dégraissé. On peut faire la même chose comme nos grands-mères faisaient en déposant une tranche de pain frais sur le bouillon, puis une autre et ainsi de suite. C'est moins efficace et plus coûteux !

Vous avez mis trop de beurre manié, la sauce est trop épaisse, il y a trois façons de l'éclaircir : ajouter un peu d'eau et faire bouillir de nouveau, ajouter un peu de bouillon et ramener à ébullition ou ajouter un peu de jus de citron et fouetter.

Pour faire brunir une sauce, rien ne vaut la sauce à brunir qu'on trouve dans tous les supermarchés. Elle est presque toujours assaisonnée, mais comme on en met très peu, elle ne changera rien au goût de votre sauce.

Si votre sauce a fait des grumeaux dont vous ne pouvez vous défaire, voici comment régler le problème : la mettre en bouteille et la secouer vivement, ou la passer au chinois (tamis) ou au robot culinaire.

Si on a des restes de légumes cuits, on peut en épaissir une sauce plutôt que d'employer du beurre manié. Il suffit d'en passer environ 55 g (1/4 tasse) au robot culinaire pour les réduire en purée qu'on ajoute à la sauce tout en fouettant bien.

Quand on souhaite une sauce moutardée, il faut ajouter la moutarde à température de la pièce hors du feu. Il ne faut pas faire bouillir la sauce de nouveau.

Vous voulez ajouter un œuf à la sauce ? Commencer par le fouetter à la fourchette dans un bol. Verser graduellement 3 ou 4 cuillerées de sauce chaude dans le bol tout en remuant, puis incorporer le mélange d'œuf et de sauce à la sauce en fouettant bien. Autrement, l'œuf cuira trop vite et fera des filaments.

C'est plus difficile de réussir une sauce quelle qu'elle soit dans une casserole qui n'a pas un fond épais. Les meilleures casseroles pour les sauces sont celles qui sont en cuivre ou celles qui sont en inox et qui ont un fond épais.

sauce au butterscotch (caramel dur au beurre)

DONNE ENV. 500 ml (2 TASSES)

4 c. à soupe de beurre
400 g (1 3/4 tasse) de cassonade
180 ml (3/4 tasse) de sirop de maïs
180 ml (3/4 tasse) de lait
Essence de vanille
180 ml (3/4 tasse) de crème 35 %

Faire fondre le beurre avec la cassonade et le sirop de maïs. Faire bouillir 2 à 3 min à gros bouillons. Retirer du feu, puis y incorporer lait, vanille et crème préchauffés. Remettre sur le feu et chauffer jusqu'à ébullition.

sauce au citron

DONNE ENV. 375 ml (1 1/2 TASSE)

3 œufs entiers
3 jaunes d'œufs

105 g (1/2 tasse) de sucre
Le zeste de 2 citrons coupé assez finement
80 ml (1/3 tasse) de jus de citron frais
2 c. à soupe de Limoncello (à défaut, remplacer par 2 c. à soupe de jus de citron)
4 c. à soupe de beurre mou

Mettre de l'eau dans un grand plat et la faire chauffer jusqu'à ce qu'elle frémisse. La garder à peine frémissante.

Dans un autre bol (pouvant se placer dans le plat où se trouve l'eau), bien faire mousser avec un fouet les œufs, les jaunes d'œufs et le sucre. Ajouter zeste, jus de citron et Limoncello et faire mousser encore.

Placer le bol dans le plat d'eau et faire cuire lentement tout en continuant de brasser au fouet de manière à éviter que les œufs ne cuisent. Cuire ainsi de 9 à 12 min jusqu'à ce que le mélange ait épaissi à la consistance d'une crème légère ou d'un sirop.

Retirer le bol de l'eau et le placer sur le comptoir. Ajouter le beurre par petits morceaux en continuant de battre au fouet. Lorsque tout le beurre a été incorporé, passer la sauce au tamis au-dessus d'un bol déposé dans un plat d'eau glacée.

Faire mousser la sauce au fouet jusqu'à ce qu'elle soit froide, puis la mettre au frigo de 2 à 3 h.

Servir sur des morceaux de gâteau aux fruits très frais.

La sauce peut facilement se conserver quelques jours au réfrigérateur.

SAUMON

Depuis qu'on élève du saumon dit de l'Atlantique en quantités industrielles, l'Occident entier s'est mis au saumon. Poisson de riche ou de gourmet jusqu'à ces dernières années, le saumon est devenu l'un des poissons les moins chers. Mais, attention, tous les saumons ne sont pas de la même qualité. Loin s'en faut.

À la suite d'un reportage télé alarmiste, certaines personnes croient maintenant qu'elles vont s'empoisonner en consommant du saumon d'élevage. Elles hésitent même à en manger et, si elles le font, c'est seulement tous les trimestres. C'est ridicule.

Soyons plus objectifs, de grâce, et surtout moins crédules.

Le saumon le moins cher qu'on puisse trouver — parfois de 7 à 8 $ le kilo — provient généralement du Chili, un pays devenu un gros exportateur de saumons. Le plus extraordinaire dans tout cela, c'est qu'on l'appelle toujours «saumon de l'Atlantique», alors qu'il est élevé dans un pays qui n'a pas un mètre de côte sur l'Atlantique! Cherchez l'erreur, comme on dit.

Même s'il est gras, ce saumon-là ne fera jamais mourir personne. Pour votre information, il ne contient pas plus de gras qu'un poulet!

S'il ne vous fait pas mourir, il ne développera pas non plus vos papilles gustatives. Il est mollasse, spongieux et peu goûteux. De la ouate rose à goût de saumon! Ce poisson est surnourri avec des farines et des huiles de poisson, et cela pour qu'il grossisse le plus vite possible. C'est à peine s'il arrive à bouger dans son grand enclos marin! C'est comme le poulet qu'on achète dans les supermarchés. Parce qu'il est élevé en batterie, gavé de moulées et de farine, il ne coûte rien... et ne goûte rien. C'est de la ouate à saveur de poulet.

Pour que le saumon ait sa couleur rose caractéristique, n'allez pas croire qu'on lui fasse manger des crevettes. Eh non, on ajoute plutôt un pigment artificiel à sa nourriture.

Après le saumon du Chili, il y a celui qu'on élève dans les enclos du Nouveau-Brunswick et de Nouvelle-Écosse. Celui-là porte bien son nom de saumon de l'Atlantique. Il est élevé comme au Chili, mais avec deux ou trois fois plus d'espace. Il arrive même à nager! Il coûte donc plus cher, il est plus ferme et plus goûteux. Mais ce n'est pas encore du saumon «biologique».

Celui-là arrive généralement de l'île de Clare, en Irlande. C'est de loin le meilleur... et le plus cher. Quelles sont ses conditions de croissance? Il a tout l'espace qu'il lui faut pour nager et s'ébattre dans les eaux turbulentes de l'Atlantique Nord. Il grossit donc moins vite et les pigments qui lui donnent sa couleur sont naturels. Mais qu'on se calme, toutefois, ce n'est pas encore du saumon sauvage!

Le saumon sauvage! Rare comme du caca de pape et cher comme des diamants. À moins qu'il ne s'agisse du sockeye, du chinook ou du coho de l'Alaska qu'on peut encore acheter à prix presque abordables.

Il y a sept espèces différentes de saumon sauvage et toutes sont particulières. Assez pour que cuisiner deux espèces différentes donne aussi des résultats différents. Et quand on fume le saumon et qu'on en fait du gravlax, les différences sont encore plus marquées. Une seule espèce vient de l'Atlantique, même si l'on y trouve occasionnellement du coho. Les six autres variétés sont originaires du Pacifique. Parmi celles-ci, trois espèces, le chinook, le coho et le sockeye, se trouvent aussi en eaux douces dans certaines rivières de l'Est de l'Amérique ainsi que dans les Grands Lacs.

Les pêches trop abondantes, la pollution industrielle et agricole et la construction de barrages hydrauliques ont eu raison du saumon de l'Atlantique. Aujourd'hui, pour en manger, il faut connaître un pêcheur fortuné, puisqu'un seul saumon pêché dans la Matapédia ou le Grand Nord du Québec peut coûter 2000 ou 3000 $!

Voici donc les trois principales variétés de saumon sauvage.

le chinook

C'est le meilleur des saumons sauvages et le plus gras, mais encore là, il faut faire certaines distinctions. Il a meilleur goût s'il est pêché dans l'océan et il est moins savoureux s'il provient des Grands Lacs. Plus il est gros, meilleur il est. Le chinook peut facilement dépasser 22 kg (50 lb) et, selon son habitat, sa chair peut rester presque blanche.

L'été dernier, Roméo Lapalme, un policier qui est devenu jardinier, m'a rapporté un chinook de 9 kg (20 lb) qu'il avait tiré du lac Ontario. Le chinook, qui se sépare par gros

flocons quand on y insère sa fourchette, fond sous la dent. Parce qu'il a une texture très délicate, il se prête mal à la fumaison ou aux plats cuisinés. Mieux vaut le manger au naturel et le moins cuit possible.

le coho

C'est un petit saumon dont la chair possède une texture très fine, beaucoup plus pâle que celle du sockeye. C'est le moins savoureux des saumons sauvages, mais il reste bien meilleur que le saumon d'élevage.

le sockeye

C'est un merveilleux saumon, très rouge, très maigre, à chair ferme. Il se prête à toutes les sauces et pour fumer, c'est le saumon idéal.

Et il y a le « saumon rose », une espèce qu'on trouve généralement en conserve. Il ressemble au sockeye.

SAUMON FUMÉ

Dans le premier tome d'*Un homme au fourneau*, je parle longuement du saumon fumé et je donne ma façon de le faire. Depuis, j'ai dû réviser ma méthode, car plusieurs m'ont fait remarquer, par exemple, qu'en la suivant, leur saumon était trop salé. Après quelques conversations, j'ai compris qu'ils fumaient du saumon d'élevage, parfois du saumon du Chili qui est d'assez piètre qualité, et que ce saumon a la chair si poreuse qu'elle absorbe beaucoup plus de sel que le saumon sauvage.

Je reste encore convaincu qu'il vaut la peine d'acheter du saumon sauvage quand on veut en fumer. Sa chair est ferme, il est beaucoup moins gras et on peut en faire, une fois fumé, des tranches très fines, ce qui est presque impossible à réaliser avec le saumon d'élevage.

On trouve encore du saumon sauvage dans les bonnes poissonneries et même dans les grandes surfaces. Il y en a toute l'année, puisqu'il arrive congelé, sous vide généralement, et déjà découpé en filets. C'est du saumon de Colombie-Britannique, presque toujours du coho.

Puis, en août et en septembre, on trouve du saumon frais d'Alaska. C'est un saumon extraordinaire et il vaut vraiment la peine d'en acheter et de le faire découper en 2 filets. Par la suite, pour bien le conserver jusqu'au moment de le fumer, on coupe chacun des filets en 2, dans le sens de la largeur, on plonge les morceaux dans des récipients de plastique remplis d'eau et on les fait congeler ainsi. Quand on est prêt à fumer, on les fait décongeler rapidement sous un filet d'eau froide, puis on procède comme s'ils étaient frais. Ils auront d'ailleurs gardé toutes les propriétés du saumon frais.

C'est évidemment l'hiver qui est la saison la plus propice à la fumaison, car on peut alors fumer à froid, ce qui est de loin la meilleure façon de faire. On installe son petit fumoir sur le patio ou sur la galerie par un froid sibérien et on est certain que la fumée qui enveloppera le poisson sera toujours froide.

Je vous redonne, avec quelques petites modifications, la façon de préparer le saumon.

la préparation

Acheter un saumon entier bien frais. Le faire parer ou le parer vous-mêmes en grattant les écailles, en coupant la tête et les nageoires et en le séparant en 2 grands filets de manière à dégager l'arête centrale. Avec des pinces à sourcil, enlever toutes les arêtes qui restent, puis essuyer le poisson avec une serviette.

Dans un endroit frais, étendre une douzaine de feuilles de papier journal sur une table ou un établi, puis mettre quelques feuilles de papier essuie-tout par-dessus. Étendre environ 200 g (7 oz) de gros sel de mer sur le papier essuie-tout, puis y déposer les 2 filets de saumon côté peau. Étendre à peu près la même quantité de sel sur les filets, puis couvrir de deux ou trois linges à vaisselle. Dans le premier tome, j'indiquais qu'on pouvait recouvrir de plusieurs épaisseurs de papier essuie-tout, mais le papier a tendance à coller à la chair du poisson et c'est parfois assez difficile de l'en débarrasser. Mettre sur les filets un morceau de contreplaqué assez grand pour les couvrir et déposer sur cette planche un poids d'une dizaine de kilos, soit une vingtaine de livres. Laisser reposer ainsi de 12 à 15 h, si c'est du saumon sauvage, et pas plus de 8 h, si c'est du poisson d'élevage.

Pendant ce temps, le saumon perdra une grande partie de son eau. Laver ensuite les filets à grande eau sous le robinet afin de les débarrasser de leur sel. On peut même les frotter légèrement avec une brosse très douce. Les essuyer soigneusement avec une serviette. Étendre quelques feuilles de papier ciré sur la table ou l'établi, y déposer les filets côté peau, puis, avec un séchoir à cheveux, les assécher de 15 à 30 min.

la marinade

Préparer l'une ou l'autre des deux marinades suivantes ou l'une et l'autre afin d'avoir deux variétés de saumon fumé.

marinade à la vodka
POUR 2 FILETS DE SAUMON

60 g (¹/4 tasse) de cassonade
2 feuilles de laurier bien broyées
6 baies de genièvre broyées
12 grains de poivre broyés
3 c. à soupe de vodka de bonne qualité
2 branches de sapin (facultatif)

Mélanger tous les ingrédients dans un bol jusqu'à l'obtention d'une pâte lisse.

marinade au sirop d'érable et au cognac
POUR 2 FILETS DE SAUMON

60 ml (¹/4 tasse) de sirop d'érable
2 feuilles de laurier bien broyées
12 grains de poivre broyés
3 c. à soupe de cognac

Mélanger tous les ingrédients dans un bol.
Dès que la ou les marinades sont prêtes, en enduire généreusement le saumon, côté chair, avec un pinceau à pâtisserie. Laisser reposer au frais environ 8 h après avoir déposé sur chaque filet une branche de sapin.

la fumaison

Si le saumon est de bonne taille, couper chaque filet en 2 parties avant de suspendre le saumon dans le fumoir. Percer un trou dans chaque morceau en vous assurant de transpercer la peau (plus solide que la chair, évidemment), y passer une bonne corde de boucher et faire un nœud coulant. Attacher les morceaux dans le haut du fumoir. Sortir celui-ci à l'extérieur, le brancher et ajouter un récipient de copeaux de bois.

Quand les copeaux de bois sont réduits en cendres, soit après environ 1 h 30, ajouter à peu près la même quantité de copeaux (la moitié moins, si l'on désire un saumon moins fumé). Attendre que ces nouveaux copeaux soient en cendres, puis sortir le saumon du fumoir.

Envelopper chaque morceau dans quelques épaisseurs de mousseline à fromage, puis dans du papier d'aluminium et mettre au frigo pendant 24 h. Après ce temps, le saumon est prêt à manger ou à être congelé. On le décongèle en le laissant de 6 à 8 h au frigo ou quelques heures à température de la pièce. Le couper en tranches fines avant qu'il atteigne la température de la pièce, toutefois.

STEVIA

Vous ne trouverez ce nom, pour l'instant, dans aucun dictionnaire et sans doute dans aucun livre de cuisine. C'est un nom que je ne connaissais pas non plus jusqu'à ce que je découvre, dans le petit potager perdu de mon amie Claudette Picard, une plante que je n'avais jamais vue et qu'on appelle stevia. Je dis perdu parce que si le potager n'est pas loin de la magnifique maison que son mari Marc Régnier a fait construire en Mauricie, la maison, par contre, est à plusieurs kilomètres du premier voisin !

Le stevia est une plante dont les feuilles fournissent une substance 300 fois (oui, oui, il n'y a pas d'erreur) plus sucrée que le sucre blanc. La substance n'est pas calorique et même les diabétiques peuvent s'en gaver ! Deux ou trois petites feuilles dans votre tasse de café et le voilà sucré !

Le stevia a toujours constitué le sucre des aborigènes de l'Amérique du Sud et depuis que les Japonais l'ont découvert, il est en train de faire le tour du monde. Semble-t-il que le stevia existe dans les deux Amériques.

J'ai acheté deux plants de stevia à la pépinière de Saint-Paul-d'Abbotsford. Je les ai depuis deux ans et ils ne cessent de me donner fleurs et feuilles. L'hiver, je les mets dans une fenêtre ensoleillée. Les deux plants s'étiolent un peu, mais dès que je les sors au soleil de l'été, ils reprennent vie. Ils ont maintenant presque 1 mètre de hauteur.

Pour cuisiner, mieux vaut acheter de la poudre ou de l'essence de stevia. Il est possible d'en trouver dans certains magasins d'aliments naturels. Cuisiner avec des feuilles n'est pas très pratique ! Les feuilles de mes deux stevias, j'en décore les desserts.

Deux Américains, Ray Sahelian et Donna Gates, ont publié chez Penguin Putnam un livre de cuisine consacré uniquement au stevia, *The Stevia Cookbook*. Diabétiques, à vos marques !

SUCRE D'ÉRABLE

Il est de plus en plus difficile de trouver du sucre d'érable mou, car les producteurs préfèrent vendre leur sirop tel quel. C'est déjà assez de travail pour en arriver là, doivent-ils se dire, alors, que le consommateur s'arrange...

sucre d'érable mou

Ma chère Denise Poirier s'occupe de ma maison, de mon chien et de mon chat comme si tout lui appartenait. Et, grâce à elle, j'ai eu cette recette. C'est son père qui m'a « légué » sa petite recette de sucre mou. De plus, c'est un jeu d'enfant.

Verser dans une cocotte la quantité de sirop d'érable à transformer en sucre mou. Il faut du bon sirop d'érable. Faire bouillir rapidement jusqu'à ce que le sirop atteigne la température exacte de 115 °C (235 °F). Amener rapidement à température de la pièce puis, avec un petit batteur électrique, assez puissant tout de même, fouetter jusqu'à ce que le sirop prenne une belle couleur dorée. Verser tout de suite dans de petits contenants de plastique.

On peut conserver ce sucre d'érable mou aussi longtemps qu'on veut à température de la pièce. Si les contenants sont d'une propreté impeccable, il va sans dire. Becs trop sucrés, s'abstenir, car c'est irrésistible.

Taramasalata

Tartes

Terrine

Thazard

Thym

Tian

Tomate

Truffe

Truite

TARAMASALATA

Dans toutes les poissonneries, on trouve de la taramasalata, une spécialité grecque et turque. Mais elle est si facile à faire qu'on a tout intérêt à la préparer soi-même. En général, elle sera meilleure que celle qu'on peut se procurer toute préparée.

taramasalata maison

Les œufs de carpe (ou de cabillaud), salés et fumés, qui sont vieillis et mis en conserve, portent le nom de tarama. On peut s'en procurer dans les poissonneries.

DONNE 250 ML (1 TASSE)
3 tranches de pain blanc
Lait
2 gousses d'ail écrasées
125 g (env. 4 oz) de tarama en
   conserve
80 ml (1/3 tasse) d'huile d'olive vierge
Le jus de 1 citron
Crème épaisse (facultatif)

Enlever la croûte du pain, puis faire tremper la mie dans du lait. Presser la mie pour l'égoutter. La réduire en pâte avec un batteur électrique, ajouter l'ail passé au presse-ail, puis le tarama. Ajouter l'huile en mince filet comme pour une mayonnaise en alternant avec le jus de citron. Une fois que la taramasalata a atteint une belle consistance homogène, on peut ou non ajouter une cuillerée de crème épaisse. Mais je préfère stabiliser la taramasalata et l'empêcher de tourner en ajoutant tout en fouettant une cuillerée d'eau bouillante. Refroidir et servir sur de petites pointes de pain grillé.

On peut aussi faire la taramasalata au mélangeur ou au robot culinaire, mais il faut travailler plus rapidement.

TARTES

J'adore faire des tartes parce qu'elles permettent toutes les fantaisies, ce qui n'est pas le cas pour les gâteaux. Depuis quelques années, toutefois, j'ai découvert qu'on peut faire pas mal de chemin avec une recette de base pour gâteaux. Et puis, n'y a-t-il pas mille façons de fourrer un gâteau ou de le décorer ? Malgré tout, les tartes sont une meilleure occasion d'exercer son imagination et sa créativité.

Même les croûtes sont pleines de possibilités, pour peu qu'on cesse de les faire comme celles de maman !

Allez-y, sortez votre rouleau à pâtisserie !

tarte à la ricotta et aux baies de sureau

Voilà une tarte qui fera tourner les têtes, mais surtout saliver vos invités. Si vous n'avez pas de baies de sureau, vous pouvez réaliser la même tarte avec des bleuets, mais de préférence des bleuets sauvages, beaucoup plus savoureux et un peu plus âcres. Cela dit, pour cette pâtisserie, rien n'égale les baies de sureau.

POUR 6 À 8 PERSONNES

les baies de sureau ou bleuets
250 ml (1 tasse) de baies de sureau ou de bleuets
1 c. à soupe de jus de citron
210 g (1 tasse) de sucre
2 c. à soupe de kirsch ou de crème de bleuets

la pâte
200 g (1 ½ tasse) de farine tout usage
3 c. à soupe de sucre
100 g (3 ½ oz) de beurre froid coupé en dés
1 jaune d'œuf

la tarte
450 g (1 lb) de ricotta de qualité
125 ml (½ tasse) de crème épaisse
2 œufs
1 jaune d'œuf
70 g (⅓ tasse) de sucre
1 c. à soupe de zeste de citron finement haché
Framboises et bleuets frais pour la décoration

les baies de sureau ou bleuets
Mettre tous les ingrédients, sauf l'alcool, dans une casserole et faire cuire d'abord à feu doux, puis à feu plutôt vif. Dès que les baies sont cuites sans être trop défaites, ajouter l'alcool, puis retirer du feu. Faire refroidir.

la pâte
Mélanger farine et sucre, puis y faire un nid et ajouter le beurre et le jaune d'œuf. Incorporer le tout avec les doigts. Faire une boule avec la pâte, puis l'étaler dans un moule d'environ 24 cm (9 ½ po) de diamètre, un moule à bord cannelé, plutôt haut et à fond amovible. Mettre au frigo environ 1 h.

Piquer le fond de tarte avec une fourchette, y poser un papier d'aluminium ou un papier parchemin et le couvrir de haricots secs. Faire cuire 15 min au centre d'un four à 190 °C (375 °F). Retirer papier et haricots et faire refroidir sur une grille.

la tarte
Mettre la ricotta et la crème dans un bol, puis mélanger. Ajouter les œufs et mélanger encore. Ajouter le jaune, le sucre et le zeste, et bien mélanger encore une fois. Quand la garniture est homogène, la verser dans la pâte refroidie et faire cuire au four environ 30 min jusqu'à ce que la garniture soit ferme et bien dorée. Faire refroidir. Démouler la tarte en la laissant sur le fond du moule, puis la déposer dans une assiette de service.

Puiser les baies de sureau ou les bleuets avec une cuillère à trous de manière à prendre le moins de jus possible, puis en tapisser le dessus de la tarte.

Servir par pointes en décorant de quelques framboises et bleuets frais.

tarte au sucre à l'américaine

DONNE 1 TARTE DE 23 CM (9 PO) DE DIAMÈTRE

2 œufs battus

230 g (1 tasse) de cassonade

125 ml (½ tasse) de sirop d'érable

250 ml (1 tasse) de crème épaisse

2 c. à café (2 c. à thé) d'essence de vanille

Chantilly aromatisée au rhum ou au kirsch pour servir

Pâte brisée (voir tome I, p. 271)

Bien mélanger tous les ingrédients, verser le mélange dans une croûte de pâte brisée non cuite et faire cuire au four à 190 °C (375 °F) jusqu'à ce que la garniture se tienne. Servir avec une chantilly aromatisée.

tarte aux cerises de terre

Jusqu'à l'automne dernier, je n'avais toujours fait que de la confiture avec les cerises de terre. Ou j'en utilisais pour décorer des assiettes en dépouillant partiellement la cerise de sa belle enveloppe de parchemin chinois.

Le premier dimanche de septembre dernier, j'ai décidé d'essayer de les préparer en tarte. Je l'ai faite dans un moule rectangulaire de 25 x 16 cm (10 x 6 ½ po) à fond amovible.

Le résultat fut remarquable, et l'apparence de la tarte était spectaculaire !

POUR 8 PERSONNES

Environ 400 g (4 tasses) de cerises de terre débarrassées de leur enveloppe

210 g (1 tasse) de sucre blanc

4 c. à soupe de tapioca ultra fin

Le zeste de ½ citron jaune haché très finement

Le zeste de ½ citron vert haché très finement

Une pincée de sel

3 c. à soupe de Limoncello

Pâte va-tout (voir tome I, p. 272)

6 noisettes de beurre

2 c. à soupe de kirsch

Préchauffer le four à 180 °C (350 °F).

Commencer par mesurer la quantité de cerises de terre que requiert le moule choisi. Mélanger ensuite les cerises de terre sans les laver avec les deux tiers du sucre, le tapioca, les zestes, le sel et le Limoncello.

Préparer une pâte va-tout et en garnir un moule à tarte.

Y verser les cerises, puis les répartir également dans le moule. Ajouter les noisettes de beurre et cuire au four, sur la grille du milieu, pendant 45 min. Dès que les cerises de terre ont commencé à frémir, déposer sur le moule un papier d'aluminium, côté brillant sur la tarte.

Au bout de 45 min, enlever le papier d'aluminium. Répartir alors le sucre qui reste sur les cerises, laisser le moule sur la grille du milieu, mais mettre le four à *broil*. Entrouvrir la porte du four et cuire de 8 à 10 min jusqu'à ce que les cerises commencent à brunir légèrement.

Sortir du four, arroser de kirsch et laisser refroidir. Servir à température de la pièce.

tarte aux pignons

Voilà une recette qui me vient tout droit de mes anciennes «connexions» libanaises. Cette tarte, je vous l'assure, surprendra vos invités par sa saveur et son originalité. Si cette recette est très populaire autour de la Méditerranée, tel n'est pas le cas au Québec ou en Amérique.

POUR 6 À 8 PERSONNES

la pâte
225 g (1 3/4 tasse) de farine tout usage
115 g (1/2 tasse) de beurre doux
2 c. à soupe de sucre
1 œuf battu

la garniture
150 g (env. 1/2 tasse) de miel doux, de qualité
115 g (1/2 tasse) de beurre coupé en petits dés
150 g (2/3 tasse) de sucre
Une pincée de sel
3 œufs battus séparément
Le zeste de 1 citron jaune émincé finement
Le jus de 1 citron jaune
1 c. à soupe de rhum
225 g (env. 1 1/2 tasse) de pignons (les longs, de préférence)
Sucre à glacer

la pâte
Préchauffer le four à 180 °C (350 °F). Tamiser la farine, ajouter le beurre, puis tapoter avec les doigts et continuer de le faire en incorporant le sucre, puis l'œuf battu. Ajouter un peu d'eau et bien pétrir. On peut aussi faire la pâte au robot et arrêter le robot dès que la pâte fait une boule. Abaisser la pâte avec un rouleau à pâtisserie, puis en tapisser un moule d'environ 22 cm (8 1/2 po) de diamètre. Piquer le fond de tarte avec une fourchette et mettre au frigo de 15 à 30 min. Faire cuire environ 10 min au centre du four après avoir couvert le fond de tarte de haricots secs.

la garniture
Rendre le miel bien liquide en le faisant chauffer à feu très doux ou au micro-ondes. Mélanger le beurre, le sucre et le sel dans un bol avec une cuillère de bois, puis y mélanger les œufs battus un à un. Ajouter le miel, le zeste de citron, le jus et le rhum. Ajouter ensuite les pignons. Jeter les haricots secs. Verser cette préparation dans le fond de tarte, puis faire cuire environ 45 min. Quand la garniture est bien dorée, retirer du four.

Avant de servir tiède ou à température de la pièce, saupoudrer généreusement de sucre à glacer.

tarte aux pruneaux
Cette tarte me vient aussi de mes accointances avec des Libanais. C'est une tarte que nous avons faite plusieurs fois et

sa qualité dépend beaucoup de celle des pruneaux. Plus ceux-ci sont goûteux et moelleux, plus la tarte a de la saveur.

POUR 6 À 8 PERSONNES

la pâte

225 g (1 ¾ tasse) de farine tout usage
115 g (½ tasse) de beurre doux
2 c. à soupe de sucre
1 œuf battu

la garniture

225 g (½ lb) de bons pruneaux dénoyautés
60 ml (¼ tasse) de rhum brun
125 ml (½ tasse) de lait entier
160 ml (⅔ tasse) de crème épaisse
1 gousse de vanille
3 œufs
50 g (env. ¼ tasse) de sucre

la décoration

160 ml (⅔ tasse) de confiture d'abricots ou
   de pêches

Mettre les pruneaux à macérer dans le rhum assez longtemps pour qu'ils absorbent une bonne partie de l'alcool.

la pâte

Préchauffer le four à 180 °C (350 °F). Tamiser la farine, ajouter le beurre, puis tapoter avec les doigts et continuer de le faire en incorporant le sucre, puis l'œuf battu. Ajouter un peu d'eau et bien pétrir. On peut aussi faire la pâte au robot et arrêter le robot dès que la pâte fait une boule. Abaisser la pâte avec un rouleau à pâtisserie, puis en tapisser un moule d'environ 22 cm (8 ½ po) de diamètre. Piquer le fond de tarte avec une fourchette et mettre au frigo de 15 à 30 min. Faire cuire environ 10 min au centre du four après avoir couvert le fond de tarte de haricots secs.

la garniture

Dans une casserole, faire chauffer le lait et la crème avec la gousse de vanille. Quand le liquide commence à bouillir, éteindre le feu et laisser refroidir au moins 15 min.

Battre les œufs séparément et les mettre dans un bol. Ajouter le sucre et mélanger. Retirer la gousse de vanille et remettre la casserole sur le feu pour amener lait et crème à ébullition. Verser sur les œufs et le sucre graduellement et mélanger jusqu'à l'obtention d'une consistance lisse. Faire refroidir.

Jeter les haricots secs. Égoutter les pruneaux (mais garder l'alcool qui reste) et les étendre également dans le fond de tarte. Verser la garniture refroidie et mettre au four à 200 °C (400 °F) pendant environ 30 min ou jusqu'à ce que la garniture soit légèrement dorée.

la décoration

Retirer du four et laisser revenir à température de la pièce. Mélanger la confiture avec le reste du rhum et réchauffer un peu pour qu'elle absorbe bien le rhum. Étendre sur la tarte pour la décorer. Servir la tarte tiède ou froide.

TERRINE

Je ne suis pas friand de terrines. Je les trouve longues à préparer et souvent d'un goût bien ordinaire. Mais cette terrine de légumes grillés est non seulement spectaculaire, elle a aussi un goût qu'on n'oublie pas. Par contre, cela prend une bonne dose de patience pour la faire.

terrine de légumes grillés
POUR 6 À 7 PERSONNES EN ENTRÉE

2 poivrons jaunes ou orange, coupés en 4 et épépinés

2 poivrons rouges coupés en 4 et épépinés

2 courgettes tranchées en lamelles de 0,5 cm (1/4 po) dans le sens de la longueur

2 aubergines oblongues tranchées en lamelles de 0,5 cm (1/4 po) dans le sens de la longueur

Environ 160 ml (1/3 tasse) d'huile d'olive

1 oignon rouge ou blanc émincé assez finement

2 gousses d'ail émincées finement

400 ml (1 2/3 tasse) de jus de légumes en conserve

80 g (2/3 tasse) de canneberges séchées ou de raisins secs

Une pincée de sucre

2 c. à soupe de jus de citron

Sel et poivre du moulin

2 c. à soupe de gélatine en poudre

6 à 8 feuilles de basilic

Pluches de cerfeuil ou de persil pour la décoration

Huile d'olive vierge de grande qualité ou huile de chanvre pour la décoration

Préchauffer le four à *broil*.

Placer les poivrons sur une grille, la peau vers le haut, et les mettre très près du gril du four. Quand la peau commence à calciner, les retirer du four et les mettre à refroidir dans un sac de plastique.

Mettre les tranches de courgette sur une plaque bien huilée, puis les faire griller sous le gril, pas trop près, en les retournant jusqu'à ce qu'elles soient al dente. Faire la même chose avec les tranches d'aubergine. Réserver.

Verser environ 2 c. à soupe d'huile dans une sauteuse ou une poêle et y faire suer l'oignon émincé et l'ail. Ajouter 2 c. à soupe de jus de légumes, les canneberges ou les raisins, la pincée de sucre et le jus de citron. Saler et poivrer au goût. Faire mijoter jusqu'à ce que la préparation soit crémeuse. Laisser refroidir.

Au moment d'assembler la terrine, prendre les deux tiers du jus de légumes, le faire chauffer à feu assez doux et y dissoudre la gélatine en remuant bien. Faire refroidir.

Huiler avec le reste de l'huile une terrine d'environ 2 litres (8 tasses), puis la tapisser de pellicule plastique. Y placer d'abord deux belles feuilles de basilic, puis une couche de poivrons des deux couleurs, puis une couche de courgette et d'aubergine et une partie de la préparation à l'oignon, puis 2 ou 3 feuilles de basilic. Ajouter une partie du jus de légumes puis, à l'aide d'une spatule ou du bout des doigts, presser les légumes pour qu'ils puissent s'imprégner du jus. Recommencer l'opération jusqu'à ce qu'il ne reste plus de légumes, mais ne pas placer de feuilles de basilic sur le dessus, car la terrine se découperait alors plus difficilement.

S'il reste de la place dans la terrine, rincer la poêle avec ce qui reste de jus de légumes, puis le verser dans la terrine.

Couvrir et laisser refroidir environ 6 à 8 h au réfrigérateur.

Servir des tranches épaisses en décorant chacune d'entre elles d'une pluche de cerfeuil ou de persil, ainsi que de quelques gouttes d'huile d'olive ou d'huile de chanvre.

THAZARD

Le thazard est ce qu'on appelle dans nos poissonneries *kingfish* et ce que les professionnels de la pêche appellent généralement *king macquerel*. Ce poisson est de la famille de notre maquereau, sauf qu'il est beaucoup plus gros et qu'il peut atteindre jusqu'à 40 kg (88 lb). Il est plus gros, mais il est moins gras que notre maquereau. Le thazard voyage dans des eaux plutôt chaudes, de la Caroline-du-Nord au Brésil.

Dans les poissonneries, on le coupe en darnes comme du saumon ou du flétan. Voici deux façons très simples et délicieuses de le préparer.

thazard à l'oignon et à la coriandre

POUR 4 PERSONNES

2 grosses darnes de thazard ou 4 petites

la marinade

2 c. à soupe d'huile d'olive ou de tournesol

1 c. à soupe d'huile de noix ou de noisette

Le jus de 1 citron vert

Sel et poivre du moulin

le mélange d'oignon et d'olives

Noisettes de beurre

1 oignon jaune déshabillé et coupé en rondelles assez fines

6 à 8 olives noires, dénoyautées et émincées

Huile de noisette (facultatif)

Un bouquet de coriandre fraîche, grossièrement hachée

Préchauffer le four à *broil*.

la marinade

Préparer une marinade avec les huiles, le jus de citron vert, le sel et le poivre, puis agiter légèrement à la fourchette.

Verser la marinade dans un bol pouvant contenir les darnes et les faire mariner au réfrigérateur pendant au moins 3 h.

le mélange d'oignon et d'olives

Déposer les darnes sur une plaque ou dans une lèchefrite surmontée d'une grille, mettre sur chaque darne une noisette de beurre et une cuillerée de la marinade et faire cuire sous le gril de 4 à 5 min, au centre du four. Dès que les darnes sont au four, déposer les rondelles d'oignon et les olives dans la marinade et brasser un peu afin de bien enduire oignon et olives de marinade.

Retourner les darnes, y verser le reste de la marinade, y déposer l'oignon et les olives et cuire encore sous le gril de

3 à 4 min. Le principe, c'est que l'oignon doit demeurer à peine cuit.

Débarrasser les darnes de leur peau, de l'arête centrale et des grosses arêtes un peu molles qui bordent la queue des darnes, puis les déposer dans des assiettes chaudes en y ajoutant de l'oignon et des olives et, si on le souhaite, quelques gouttes d'huile de noisette. Décorer d'un bouquet de coriandre.

Servir immédiatement avec des épinards à l'ail et au citron ou une pomme de terre nature.

thazard au citron vert
POUR 4 PERSONNES

2 c. à soupe d'huile d'olive ou de tournesol
1 c. à soupe d'huile de noix ou de noisette
Le jus de 1 citron vert
Sel et poivre du moulin
2 grosses darnes de thazard ou 4 petites
Noisettes de beurre
2 c. à soupe de beurre à l'ail et au persil

Préchauffer le four à *broil*.

Préparer une marinade avec les huiles, le jus de citron vert, le sel et le poivre, puis agiter légèrement à la fourchette. Verser le tout dans un bol pouvant contenir les darnes et les faire mariner au réfrigérateur pendant au moins 3 h.

Déposer les darnes sur une plaque ou dans une lèchefrite surmontée d'une grille, mettre sur chaque darne une noisette de beurre et faire cuire sous le gril de 4 à 5 min, retourner ensuite les darnes et cuire de 3 à 4 min.

Débarrasser les darnes de leur peau, de l'arête centrale et des grosses arêtes un peu molles qui bordent la queue des darnes, puis les déposer dans des assiettes chaudes. Servir en ajoutant sur chaque darne une noix de beurre à l'ail et au persil. Accompagner d'un légume vert ou d'une salade verte.

THYM

Presque tous, y compris les Français, l'emploient séché. C'est même difficile de trouver du thym vert en France, car on prétend qu'il ne goûte rien. Allons donc ! Aucune herbe ou aucune épice ne parfume mieux une viande poêlée ou grillée qu'une généreuse pluie de feuilles de thym qu'on vient de cueillir. Sur votre salade de tomates fraîches, remplacez les feuilles de basilic par de minuscules feuilles de thym. Vous ne perdrez rien, vous gagnerez même au change.

À la différence du basilic, le thym a le grand mérite de supporter le froid. Avec un peu de chance et s'ils sont bien enveloppés de feuilles ou de paille, vos plants de thym reverdiront le printemps venu. À l'automne, avant de couvrir le thym, coupez-en plusieurs tiges que vous lierez en petits bouquets et attacherez dans la fenêtre de la cuisine. Ils embaumeront la pièce. Tout au cours de l'hiver, quand vous en aurez besoin, vous en détacherez une ou deux branches. Lorsque les bouquets seront bien secs et vous sembleront n'avoir plus aucun arôme, prenez-en un, tenez-le quelques minutes au-dessus d'une cocotte d'eau bouillante ou vaporisez-le d'eau fraîche. Il ressuscitera comme par miracle.

TIAN

Le tian emprunte son nom à un plat à gratin de terre cuite qu'on utilise depuis toujours en Provence. On peut aisément remplacer le tian par n'importe quel plat à gratin en pyrex ou en fonte émaillée.

Dans le tome I d'*Un homme au fourneau* (voir p. 351), je donne la recette du Tian de légumes que je prépare depuis longtemps et qui me vient d'une vieille dame provençale du nom de Roquetta. Elle s'occupait à Gassin, près de Saint-Tropez, des maisons de Claude Pratte, un ami de Québec malheureusement décédé il y a près de 10 ans.

tian de tomates et de courgettes

Un jour que je mangeais chez Pierre Jasmin, à Magog, je lui disais n'avoir jamais trouvé de recettes de tian dans des livres de cuisine. Pierre, qui a la passion de la cuisine et de la justice (il est juge à la Cour supérieure du Québec), m'a dit qu'il en avait trouvé une dans une édition de 1984 d'un livre intitulé Le goût de la France.

Voici donc cette recette de tian, bien différente de celle que je propose dans le tome I. Je ne sais pourquoi on lui a donné le nom de Tian de tomates et de courgettes, puisque plusieurs autres légumes y ont tout autant d'importance.

POUR 8 À 10 PERSONNES EN ACCOMPAGNEMENT
80 ml (1/3 tasse) d'huile d'olive vierge
2 oignons jaunes émincés
2 gousses d'ail émincées finement

2 poivrons verts épépinés et coupés en rondelles
2 aubergines oblongues coupées en tranches fines
Sel
1 kg (2 1/4 lb) de courgettes
1 kg (2 1/4 lb) de tomates (olivettes, si possible)
1 c. à soupe de sarriette fraîche, hachée
1 c. à café (1 c. à thé) de feuilles de thym frais
Poivre du moulin
30 g (1/4 tasse) de chapelure fraîche
30 g (1/4 tasse) de parmesan fraîchement râpé

Mettre la moitié de l'huile dans une grande poêle et faire dorer les oignons à feu assez vif. Ajouter l'ail, puis les rondelles de poivron et les tranches d'aubergine. Diminuer le feu et faire cuire doucement. Saler. Pendant ce temps, faire chauffer le four à 190 °C (375 °F).

Bien laver les courgettes, couper les extrémités, puis les trancher en tranches d'environ 0,5 cm (1/4 po). Couper les tomates en tranches légèrement plus épaisses.

Dans un plat à gratin, déposer les légumes cuits à la poêle, puis y disposer les tranches de tomate et de courgette en alternance. Parsemer de sarriette et de thym, saler légèrement et poivrer, puis verser l'huile qui reste sur les légumes. Cuire au centre du four environ 35 min.

Dans un petit bol, mélanger la chapelure et le fromage. Étendre ce mélange sur le tian et cuire encore de 10 à 15 min jusqu'à ce que le fromage soit bien doré.

Servir comme accompagnement d'une viande.

TOMATE

Aujourd'hui, il y a des tomates toute l'année, mais il y a de longs mois pendant lesquels elles ne sont guère savoureuses. Même lorsqu'on les présente en grappes. Elles sont appétissantes, brillantes et de belle couleur, mais... la saveur n'est pas toujours là.

Une tomate, on la conserve à température de la pièce, dans un panier bien aéré. Elle commence à se gâter ? Faites-en vite une sauce. Ne mettez jamais vos tomates au frigo, c'est mortel : elles perdront tout goût et se flétriront tout aussi vite.

Depuis quelques années, on cultive une variété de tomates qu'on peut transporter d'un bout du continent à l'autre, tellement elles sont fermes. Encore un peu, on pourrait s'en servir comme boules de pétanque ! Je ne suis pas sûr qu'il s'agisse d'un exploit génétique bien louable. Ces tomates voyageuses et belles à regarder ne vous feront pas saliver, car elles ne sont plaisantes que pour l'œil.

 tomates au four farcies au chevreau

POUR 6 PERSONNES

6 grosses tomates bien fermes
6 c. à soupe d'huile d'olive
1/2 oignon jaune émincé
1 grosse gousse d'ail émincée finement
350 g (3/4 lb) de chevreau ou d'agneau haché
1/4 c. à café (1/4 c. à thé) de cumin moulu
1/4 c. à café (1/4 c. à thé) de cannelle moulue
1/2 c. à café (1/2 c. à thé) de muscade fraîchement moulue
Un petit bouquet de coriandre fraîche
Un petit bouquet de persil frais
1 c. à soupe de zeste de citron finement haché
Sel et poivre du moulin
1 c. à soupe de cognac (facultatif)

Parer les tomates de la façon suivante : enlever le pédoncule, puis couper chaque tomate en 2 parties dans le sens horizontal. Épépiner comme il faut chaque demi-tomate et réserver.

Préchauffer le four à 180 °C (350 °F). À feu vif, faire chauffer l'huile d'olive dans une grande poêle et y faire revenir l'oignon et l'ail jusqu'à ce qu'ils soient tendres. Ajouter le chevreau ou l'agneau haché, puis le défaire avec deux fourchettes. Quand il a perdu sa couleur rouge, ajouter tout le reste des ingrédients, sauf le cognac. Mélanger bien avec la viande. Laisser cuire à feu doux quelques minutes. Une minute avant la fin de la cuisson, monter le feu et ajouter le cognac. Laisser le liquide réduire de 1 à 2 min. Enlever du feu et laisser revenir à température de la pièce.

Farcir généreusement chaque demi-tomate de ce mélange et cuire au four chaud pendant environ 30 min. Servir comme accompagnement d'un gigot d'agneau ou de chevreau.

TRUFFE

Voilà un champignon de riches. Si son parfum est communicatif au point de se transmettre à tout ce qui l'entoure, la truffe fraîche est ruineuse quand on ne vit pas au Périgord et qu'on ne connaît pas un fermier qui en cueille sous ses chênes ou sous ses noisetiers. Comme la vesse-de-loup, la truffe peut être plus petite qu'une balle de golf et aussi grosse qu'une balle molle.

À Montréal, des truffes fraîches, il y en a parfois Chez Louis, au Marché Jean-Talon. Sans doute à deux ou trois autres endroits aussi, mais que je ne connais pas. Une truffe fraîche, on l'achète entre la fin novembre et le début mars. En d'autres temps, elle ne sera plus très fraîche, aura beaucoup séché et perdu presque tout son parfum.

Il n'y a pas 36 façons de garder une truffe fraîche : on la laisse terreuse, on l'enveloppe dans plusieurs épaisseurs de papier d'aluminium et on la met au frigo dans le bac à légumes. Mais ne tentez pas le sort en la conservant plus de 2 semaines. On peut aussi la brosser et la plonger dans de l'huile de tournesol ou d'arachide. On la garde ainsi au réfrigérateur pendant un bon mois et, quand on a mangé la truffe, il reste l'huile très parfumée. C'est possible aussi de congeler les truffes. Je ne l'ai jamais fait, mais on me dit que ça fonctionne bien.

Comme tous les champignons, on ne lave pas les truffes, on les brosse.

Aux truffes en conserve qui coûtent un bras, préférez donc l'huile de truffe. Elle parfumera mieux les aliments que vous cuisinerez que cette petite truffe noire dispendieuse qui ne dégage presque pas de saveur.

TRUITE

Autant je suis partant pour les belles truites que certains pêcheurs me rapportent, autant j'étais réticent devant les truites d'élevage qui abondent dans nos poissonneries. Celles-ci n'égalent pas les autres, mais j'avoue que mes préjugés ont beaucoup diminué quand j'ai préparé ces truites entières.

Plutôt que de les préparer en papillote comme la plupart le font — la chair est alors bien mollasse —, je les poêle rapidement à feu assez vif après les avoir fourrées d'un quartier de citron, d'un petit bouquet de thym frais, puis je sale et je poivre. Je les enrobe ensuite d'un peu d'huile d'olive, je sale et je poivre l'extérieur et hop, dans la poêle à poisson.

Au moment de les servir, je les filète en prenant bien soin de ne pas trop endommager la peau et je les arrose d'un soupçon d'huile de noisette mélangée à un peu de jus de citron.

On en oublie presque que ce sont des poissons d'élevage...

Veau

Vin

Volaille

VEAU

Que c'est difficile de se procurer du bon veau de lait tout blanc. Quelques boucheries seulement en ont à Montréal. J'aime bien le veau que j'achète chez Milano (voir tome I, p. 168) ou à la boucherie Capitol. Il est loin d'être donné, mais c'est du « vrai » veau.

Presque partout ailleurs, on vend du veau de grain. Ce n'est pas mauvais, mais, pour moi, c'est tout autre chose.

escalope de veau à la florentine

POUR 4 PERSONNES

450 g (1 lb) de feuilles d'épinards bien fraîches

3 c. à soupe d'huile d'olive

1 c. à soupe d'huile de noisette

Le jus de 1 citron

1/3 de noix de muscade râpée

4 gousses d'ail hachées finement

Sel et poivre du moulin

4 escalopes de veau assez épaisses, soit au moins 1 cm (env. 1/2 po)

Bien laver les épinards, verser la moitié des huiles dans une grande sauteuse et y faire sauter les épinards à feu vif en les retournant fréquemment pour qu'ils ne collent pas. Si la sauteuse n'est pas assez grande pour les contenir tous, les ajouter graduellement. Lorsqu'ils sont cuits, laisser l'eau s'évaporer complètement. Retirer du feu, ajouter le reste des huiles mélangées au jus de citron, la muscade et l'ail, puis saler et poivrer.

Réserver au chaud. Dans une poêle bien chaude et légèrement huilée, faire cuire les escalopes à feu vif, environ 3 min de chaque côté. Saler et poivrer. Les escalopes doivent rester légèrement rosées à l'intérieur. Disposer une escalope par assiette bien chaude, puis couvrir chaque escalope d'une bonne couche d'épinards. Servir telle quelle.

escalope de veau minute

Acheter des escalopes assez épaisses, soit au moins 1 cm (env. 1/2 po) et, de grâce, ne pas les battre afin qu'elles restent bien moelleuses. Si le veau est de bonne qualité, il ne faut surtout pas trop le cuire. Dès que des gouttelettes rosées apparaissent, il faut le retirer du feu. Du veau trop cuit est aussi insipide qu'un steak de bœuf cuit en semelle de botte.

POUR 2 PERSONNES

2 c. à soupe de beurre

1 c. à soupe de persil frais, haché finement

1 gousse d'ail hachée très finement ou
   écrasée au presse-ail
Poivre du moulin
1 c. à soupe de jus de citron
1 c. à soupe d'huile d'olive
2 escalopes d'environ 200 g (7 oz) chacune
Sel

Mélanger beurre, persil, ail, poivre et jus
de citron dans un bol allant au micro-ondes.
Réserver.

   Faire chauffer presque à blanc une
poêle à fond strié. Y étendre l'huile d'olive
avec un morceau de papier essuie-tout.
Y mettre à griller les 2 escalopes environ
2 à 3 min de chaque côté. Les saler.

   Pendant ce temps, mettre le bol contenant
le beurre quelques instants au micro-ondes.
Dès que le beurre est fondu, le retirer, puis
émulsionner le tout avec une fourchette.

   Déposer les escalopes dans des assiettes
très chaudes, puis les napper du beurre
persillé à l'ail et au citron.

   Servir avec des haricots verts ou encore
avec une pomme de terre nature.

fricassée de cœurs de veau

POUR 4 PERSONNES

2 cœurs de veau ou 4 cœurs d'agneau ou
   de chevreau
3 c. à soupe d'huile d'olive
1 c. à soupe d'huile de noix ou de noisette
1 oignon jaune coupé en fines rondelles
1 c. à café (1 c. à thé) de zeste de citron
   émincé finement
2 gousses d'ail émincées finement

Sel et poivre du moulin
1 c. à soupe de vinaigre de framboise
¼ c. à café (¼ c. à thé) de cumin moulu
¼ c. à café (¼ c. à thé) de muscade
   fraîchement moulue
1 c. à café (1 c. à thé) de persil frais,
   émincé finement
1 c. à café (1 c. à thé) de coriandre
   fraîche, émincée finement

Parer les cœurs avec soin de la manière
suivante : enlever la peau coriace et les tissus
graisseux qui les recouvrent, couper et se
débarrasser des artères pulmonaires et de la
crosse de l'aorte, sectionner ensuite les cœurs
en 2 dans le sens de la longueur de manière
à pouvoir enlever les bouts d'artère qui restent
ainsi que le réseau des vaisseaux les plus
apparents. Couper ensuite le cœur en
lamelles d'environ 1,5 cm (½ po) de largeur.
Bien éponger les lamelles dans un linge à
vaisselle ou un papier essuie-tout.

   Verser les huiles dans une grande poêle
et, à feu assez vif, faire cuire les rondelles
d'oignon. Lorsqu'elles sont presque cuites,
ajouter le zeste de citron, l'ail, le sel et le
poivre. Quelques minutes plus tard, déglacer
au vinaigre et réserver les oignons au
chaud dans une assiette. Remettre la poêle
sur le feu, ajouter quelques gouttes d'huile,
si nécessaire, et y étendre les lamelles des
cœurs. Cuire à feu vif pendant 2 à 3 min
tout au plus, puis retourner les lamelles et
cuire encore environ 2 min après les avoir
saupoudrées de cumin et de muscade.
Saler et poivrer au goût. Les cœurs sont

cuits lorsque l'on voit des gouttes rosées sur les lamelles. Ajouter les oignons, puis parsemer du persil et de la coriandre.

Servir immédiatement dans des assiettes chaudes et accompagner d'une purée de pommes de terre ou d'une purée de navets.

osso buco

L'osso buco est un classique de la cuisine italienne et l'un des meilleurs plats qui soient. Il est plutôt facile à réaliser, mais il demande du temps et quelque soin.

Si vous faites un osso buco, de grâce n'imitez pas les Français et quelques restaurants mal dirigés qui le servent avec des pâtes. C'est une hérésie. L'osso buco se mange avec du riz nature ou, mieux encore, si vous en avez le courage après avoir fait votre osso buco, un risotto safrané.

La viande qu'on utilise pour l'osso buco est le veau. Du jarret de veau. De préférence des tranches d'environ 3 cm (1 1/4 po) d'épaisseur découpées dans les pattes arrière qui sont beaucoup plus charnues. Si vous avez affaire à de gros appétits (et ils sont presque toujours gros pour un osso buco bien réussi), vous devez compter environ 375 g (env. 1/2 lb) de viande par personne, car il y a des os. Beaucoup d'os.

Voici ma version de l'osso buco milanais. C'est une version plus élaborée que la version classique qu'on trouve à Milan, et les Milanais ne l'approuveraient sans doute pas, car mon osso buco est nettement plus assaisonné que le leur. Mais je l'aime ainsi et je parie que vous l'aimerez tout autant.

POUR 8 À 9 PERSONNES

Environ 160 ml (2/3 tasse) d'huile d'olive

2 à 3 carottes coupées en petits dés

2 oignons jaunes de grosseur moyenne hachés finement

1 branche de céleri hachée finement

4 gousses d'ail hachées finement

Environ 2 kg (4 1/2 lb) de tranches de veau d'environ 3 cm (1 1/4 po) d'épaisseur découpées dans le jarret

Sel

2 à 3 c. à soupe de farine tout usage

300 ml (1 1/4 tasse) de vermouth blanc extra-dry

375 ml (1 1/2 tasse) de bouillon de poulet ou 1 cube de bouillon de poulet dissous dans 375 ml (1 1/2 tasse) d'eau bouillante

2 c. à soupe de pâte de tomate

Une pincée de sucre

8 tomates grossièrement hachées

2 feuilles de laurier

12 à 15 feuilles de basilic frais, grossièrement hachées ou 1 c. à soupe de basilic séché

2 à 3 branches de thym ou 1 c. à café (1 c. à thé) de thym séché

4 à 5 baies de genièvre

Un petit bouquet de coriandre fraîche ou 8 à 10 grains de coriandre séchée

8 graines de cardamome

Poivre du moulin

1/2 c. à soupe de zeste de citron haché finement

2 à 3 grains de piment de la Jamaïque ou d'Amérique du Sud

la gremolata

1 c. à soupe de zeste de citron haché très finement

1 c. à soupe d'ail haché très finement

2 filets d'anchois bien épongés, hachés très finement

4 à 5 c. à soupe de persil haché très finement

Prendre une casserole de fonte émaillée assez grande pour contenir le veau en une seule rangée, si possible. Sinon, une casserole qui peut contenir une rangée, plus une deuxième rangée dont les tranches chevauchent les premières.

Faire chauffer l'un des feux de la cuisinière, puis y mettre la casserole avec environ 4 c. à soupe d'huile d'olive. Quand l'huile est chaude, ajouter les carottes, les oignons, le céleri et l'ail et cuire à feu moyen en brassant de temps à autre pendant environ 15 min.

Préchauffer le four à *broil*.

Dans une poêle de cuivre ou de fonte, faire chauffer à feu plutôt vif environ 3 à 4 c. à soupe d'huile d'olive. Quand elle est bien chaude, y faire rissoler les tranches de veau de chaque côté jusqu'à ce qu'elles soient bien dorées. Les déposer ensuite dans la grande casserole de fonte, les saler et les saupoudrer de farine. Si c'est nécessaire pour continuer de faire dorer les tranches de veau, on peut ajouter de l'huile dans la poêle, mais on doit attendre que l'huile soit chaude avant d'y déposer le veau.

Mettre la casserole sous le gril du four et l'y garder jusqu'à ce que la farine soit bien dorée. Remettre la grande casserole sur la cuisinière à feu assez vif. Quand le contenu est bien chaud, ajouter le vermouth et laisser réduire de moitié. Ajouter le bouillon auquel sont mélangés la pâte de tomate et le sucre. Puis mettre les tomates, le laurier, le basilic, le thym, les baies de genièvre, la coriandre, la cardamome, le poivre, le zeste de citron et le piment de la Jamaïque. Il doit y avoir du liquide au moins aux deux tiers de l'épaisseur des tranches de veau. Ajouter un peu d'eau, de bouillon ou de vin, si nécessaire.

Dès que le contenu recommence à bouillir, couvrir la casserole et la déposer dans le bas du four à 180 °C (350 °F). Cuire environ 1 h 15 à 1 h 30. Toutes les 20 min, ouvrir la casserole et arroser le veau de jus.

Quand le veau est cuit, sortir la casserole du four, laisser refroidir, mettre au réfrigérateur et servir 2 ou 3 jours plus tard. Il faut alors remettre la casserole au four environ 1 h jusqu'à ce que le contenu commence à mijoter.

Qu'on serve l'osso buco immédiatement ou quelques jours plus tard selon la façon que je viens d'indiquer, on dépose les tranches de veau dans un grand plat de service qu'on garde au chaud dans un four à environ 95 °C (200 °F).

On remet ensuite la grande casserole sur la cuisinière et, quand son contenu bout, on le verse dans une passoire placée au-dessus d'un bol à mélanger assez grand pour contenir tout le jus. Avec une cuillère de bois, on presse ensuite les légumes comme il faut afin d'en extraire le plus de jus possible.

On verse le jus ainsi obtenu sur les pièces de veau et on garde au chaud jusqu'au moment de servir.

Entre-temps, on a fait la gremolata.

la gremolata

Mettre tous les ingrédients dans un petit bol et mélanger avec une fourchette. Au moment de servir, on saupoudre les pièces de veau de gremolata. On sert dans des assiettes bien chaudes. Quand on sert, il faut faire attention que la moelle ne sorte pas des os, car c'est la meilleure partie de l'osso buco. Si on le souhaite, on peut très bien servir le veau dans des assiettes à soupe. Si l'on est puriste, on accompagne chaque couvert d'une petite fourchette à crustacés qui servira à extraire la moelle des os.

VIN

Parce que je fais la cuisine depuis toujours, plusieurs de mes amis et connaissances se demandent pourquoi je ne parle pas plus souvent des vins. La première raison, c'est que si je suis amateur de vin, je n'en suis pas un fin connaisseur et il existe en librairie de nombreux guides des vins, dont l'excellent de Michel Phaneuf, que leurs auteurs mettent à jour chaque année, sans compter les chroniques d'œnophiles dans les journaux et les magazines.

Vous n'êtes pas de ceux qui les lisent? Alors, pour éclairer un peu votre lanterne, voici quelques «accords» de vin que j'aime bien et pour lesquels j'implore tout de suite l'indulgence des fins connaisseurs s'il s'en trouve qui soient en «désaccord»!

les abats

Du beaujolais, un côtes-du-rhône, tout bon rouge léger et fruité. Si vous trouviez un sancerre rouge, miam! miam!

l'agneau et le chevreau

Avec l'agneau et le chevreau tout jeune, j'aime bien un beaujolais. Quand l'agneau et le chevreau ont pris de l'âge, c'est encore un bordeaux qui les accompagne le mieux ou un côtes-de-bourg. L'été, le gigot ou le carré se mangent très bien arrosés d'un brouilly, d'un bourgueil ou d'un cahors.

le bœuf

Le bœuf se prête à bien des accords. Il me semble que le steak au poivre a besoin d'un rouge puissant, un médoc, un pommard si on a les moyens. Avec le rosbif, un bordeaux ou un bourgogne; avec du pot-au-feu ou du bourguignon, un mâcon rouge.

les desserts

Les vins de dessert, question difficile! Surtout si on a bien arrosé son repas de vins rouges...

De temps à autre, un petit verre de vin de glace (on en fait d'excellents, même au Québec) ou la plupart des vins qu'on a l'habitude de servir avec le foie gras dont je parle plus loin.

le foie gras

Boire du vin ou de l'eau ? C'est toujours la question. Même si je bois beaucoup d'eau à table, je trouve qu'avec le foie gras, c'est un peu triste. Alors, pourquoi ne pas l'accompagner d'un jurançon d'automne, d'un barzac, d'un monbazillac. Évidemment, si on a des sous, le sauternes n'est pas à dédaigner, loin de là, pas plus qu'un bon sainte-croix-du-mont.

De temps à autre, un excellent cidre de glace ou le vin de glace, deuxième pression, Douceur d'ardoise du vignoble de mon ami le Dr Jacques Papillon.

les fromages

Comme pour le foie gras, il y a des puristes qui prétendent qu'il faut boire de l'eau avec le fromage. Je sais qu'ils n'ont pas tort, mais ça aussi, c'est triste. Un volnay avec un vacherin fait merveille, tout comme un vosne-romanée avec un fromage puissant comme l'époisses. Un bon cru du Médoc, un pomerol ou un côte-de-nuits raviront vos invités au moment du fromage.

Si vous aimez le vin blanc, ne vous gênez surtout pas pour offrir un gewurztraminer avec du roquefort ou du munster, ou encore un riesling. Les vins de vendanges tardives sont aussi bien agréables avec certains fromages.

Le blanc accompagne plus que bien les fromages de chèvre.

Au fromage, la mode du porto ne me plaît guère parce que je trouve que ce vin assomme le fromage, mais c'est mon goût et je ne vais surtout pas l'imposer.

les fruits de mer

Entre-deux-mers, chardonnay, muscadet, côtes-de-blaye blanc, sancerre, chablis, sylvaner et si on est prêt à dépenser : un grand cru du Médoc avec du homard ou mieux encore (à mon goût) un meursault, un montrachet ou un pouilly-fuissé.

Je suis aussi très friand de vins d'Alsace avec les fruits de mer. Difficile de battre un bon riesling ou un gewurztraminer.

le jambon

Avec le jambon, quoi de mieux qu'un bon vin d'Alsace ou, moyennant une petite saignée dans le porte-monnaie, un mercurey. On peut aussi se contenter d'une bière !

les pâtes

Des vins d'Italie, évidemment. Des blancs ou des rouges, selon la sauce qui accompagne les pâtes. Les rosés sont aussi excellents. Avec des pâtes aux herbes ou aux tomates fraîches, un côtes-de-provence rosé coule bien.

le poisson

Les amateurs de vin d'Alsace aiment bien le sylvaner avec du poisson. Moi aussi, mais un sancerre, un mâcon blanc, un chablis ou un graves font toujours plaisir. Et si on ne veut pas passer à la banque, un entre-deux-mers, un petit chardonnay ou un blanc bien frais du Chili ou d'Espagne sont très agréables.

Sauf avec la lotte, j'ai beaucoup de mal à avaler du vin rouge avec les poissons. Si on me l'impose, je veux alors du rouge qui soit le plus léger et le moins fruité possible.

le porc

Comme pour le poulet, le porc se prête presque aussi bien aux blancs qu'aux rouges. Si on sert du blanc, mieux vaut s'abstenir des vins d'Alsace. Un beaujolais blanc, peut-être ?

Avec le porc, j'aime bien les côtes-de-blaye, le corbières, un côtes-du-roussillon ou un cahors.

les sauces

Quand on fait une sauce, difficile de ne pas y mettre de vin. Vous le savez, je suis très grand amateur de vermouth extra-dry. Pourquoi ? Parce qu'il n'est pas cher, qu'il se conserve bien une fois ouvert (aussi longtemps que vous voulez), qu'il n'a aucune amertume et qu'il ne donne pas aux plats ou aux sauces le petit goût âcre qu'y laissent trop souvent les vins de mauvaise qualité. Et le vermouth blanc extra-dry a le mérite de ne pas colorer les sauces comme le ferait un vin rouge. Ne vous privez pas, toutefois, de faire mes recettes parce que vous n'avez pas de vermouth blanc extra-dry. Le dry fera aussi l'affaire pour peu que vous en réduisiez les quantités de moitié, et le blanc sec ordinaire donnera le même résultat, surtout si vous avez la précaution d'y ajouter une toute petite pincée de sucre. À moins qu'il ne s'agisse d'un très bon vin, évidemment !

C'est un fait, plusieurs pensent que cuisiner avec du mauvais vin n'a pas beaucoup d'importance. Je ne connais aucun mauvais vin qui s'améliorera quand il sera cuisiné. Et, de grâce, ne soyez pas snob : un trop grand cru bien vieilli ne supportera pas d'être cuisiné. Allez-y donc avec bon sens et mesure.

En règle générale, si un plat est cuisiné avec beaucoup de vin — le bœuf bourguignon ou le coq au vin, par exemple —, on le fait avec le même vin qu'on servira pour l'accompagner.

N'y allez pas trop fort avec des vins comme le madère, le xérès ou le marsala. On les utilise seulement pour des plats très particuliers.

Quand on fait une sauce avec du vin ou qu'on veut en rehausser n'importe quel plat, il faut toujours permettre au vin d'évacuer son alcool, c'est-à-dire qu'il doit « cuire » au moins quelques minutes.

Quand on n'a pas de vin sous la main et que la recette en réclame, on peut toujours le remplacer par de l'eau ou, mieux encore, par une cuillerée de vinaigre de vin blanc ou rouge diluée dans 3 ou 4 parties d'eau à laquelle on ajoute une pincée de sucre.

le veau

Le veau est une viande si légère qu'on doit l'accompagner d'un rouge très léger comme le bourgueil, le côtes-du-rhône ou le beaujolais. Le rosé n'est pas désagréable non plus ou un vin blanc comme le bourgogne blanc ou le beaujolais blanc.

la volaille

Le poulet a l'avantage de se prêter à l'utilisation des vins blancs et des rouges, quoique la plupart préfèrent l'accompagner d'un rouge. Si on préfère le rouge, on sera très heureux avec un juliénas, un pomerol, un volnay, un saint-émilion ou un graves. Vous

préférez le vin blanc avec le poulet ? Choisis-
sez plutôt un bordeaux. Un pouilly fumé ou
un autre blanc de la Loire.

Le canard, c'est différent. Mieux vaut un
rouge, et de loin. Un grand médoc ou un
pomerol, wow !

VOLAILLE

Avant de retourner aux Îles-de-la-Madeleine,
l'été dernier, jamais je ne me serais douté que
la poubelle figurerait dans ce livre comme
« accessoire » de cuisson ! Lucie et Jérémie
Arseneau, copropriétaires de la fromagerie
du Pied-de-Vent et, surtout, uniques fournis-
seurs du lait avec lequel on fabrique ce
remarquable fromage des îles à pâte semi-
dure, sont des adeptes de la « cuisson à
la poubelle ».

Ne vous méprenez pas, ils ne cuisinent
pas à la poubelle tous les jours, mais une fois
ou deux par année lorsqu'ils reçoivent en
plein air jusqu'à une centaine d'invités. Ils
font alors cuire deux veaux sur le gril et
quelques « dindes à la poubelle ». Voici donc
les ingrédients nécessaires pour la dinde à
la poubelle.

Les Madelinots me disent qu'il n'y a pas
pique-nique plus savoureux. Et je crois toujours les Madelinots, car ils ne m'ont jamais
trompé. Tout au plus se sont-ils, à l'occasion,
payé ma tête !

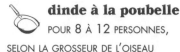

dinde à la poubelle
POUR 8 À 12 PERSONNES,
SELON LA GROSSEUR DE L'OISEAU

la marinade

60 g (¼ tasse) de cassonade

2 c. à soupe de poivre concassé

2 c. à soupe d'ail émincé très finement

2 c. à soupe de gros sel de mer

1 piment oiseau écrasé

15 baies de genièvre écrasées

15 grains de coriandre écrasés

la dinde

1 dinde de 7 à 10 kg (env. 15 à 22 lb)

1 poubelle en acier galvanisé avec
son couvercle

Charbons de bois ou briquettes

2 poches de sable

1 boîte de papier d'aluminium de
qualité supérieure

1 piquet de bois

2 grands clous

2,5 kg (5 ½ lb) de pommes de terre

1 boîte de papier d'aluminium
ordinaire

Beurre à l'ail

la marinade

Écraser comme il faut tous les ingrédients
dans un mortier et réserver.

la dinde

Bien laver la dinde, lui couper le cou
et la débarrasser de ses surplus de gras.
L'éponger ensuite avec soin, puis la

badigeonner de marinade à l'extérieur comme à l'intérieur.

Coucher la poubelle sur le côté, y mettre des charbons de bois ou des briquettes et les enflammer. Brûler ainsi les charbons en tournant la poubelle de temps à autre de manière à la débarrasser de son vernis et de son huile. Si la poubelle a déjà servi pour faire cuire une dinde, elle est déjà prête à être utilisée. Dans ce cas, allumer du charbon de bois ou des briquettes dans une vieille chaudière ou tout autre récipient de métal.

Entre-temps, aménager une surface de sable d'environ 1 x 1 m (3 1/4 x 3 1/4 pi). Si on se trouve sur une plage, on a un aménagement naturel ! Enrouler du papier d'aluminium de qualité supérieure autour du piquet de bois et planter, à peu près à mi-hauteur, deux clous de chaque côté de manière à former une croix.

Recouvrir le carré de sable du papier d'aluminium de qualité supérieure. Planter le piquet au milieu jusqu'à ce que la croix soit à peu près à 13 à 15 cm (5 à 6 po) de la surface du carré.

Enfiler la dinde sur le piquet, collier vers le bas. Elle sera retenue par la croix. Bien brosser les pommes de terre, puis les envelopper chacune séparément dans du papier d'aluminium ordinaire. Piquer chaque pomme de terre de quelques coups de fourchette. Disposer les pommes de terre autour du piquet, puis verser dessus le charbon de bois brûlant qui a servi à dévernir la poubelle ou celui qui a été allumé dans une chaudière.

Renverser la poubelle sur la dinde. L'entourer de briquettes ou de charbon de bois, puis y mettre le feu. Faire aussi un monticule de charbon de bois sur le haut de la poubelle renversée, l'allumer et le couvrir avec le couvercle de la poubelle.

Dès que le charbon est bien allumé, replier vers la poubelle le papier d'aluminium qui recouvre le sable.

Laisser cuire ainsi environ 2 h 30 sans toucher à la poubelle de manière à bien garder la chaleur à l'intérieur. Retirer la poubelle. La dinde est alors prête à manger. On la découpe sur son piquet comme on fait pour l'agneau dans un méchoui et on la mange avec une pomme de terre sur laquelle on laisse fondre un peu de beurre à l'ail.

foies de poulet aux cèpes séchés

POUR 4 PERSONNES EN ENTRÉE

10 g (1/4 tasse) de cèpes séchés

12 à 16 foies de poulet bien frais

2 c. à soupe d'huile d'olive

1 c. à café (1 c. à thé) d'huile de noisette

1 échalote hachée finement

1 gousse d'ail hachée finement

1 c. à café (1 c. à thé) d'herbes de Provence

2 c. à soupe de brandy

Sel et poivre

125 ml (1/2 tasse) de crème épaisse

1 c. à café (1 c. à thé) de zeste de citron haché finement

1 c. à soupe de farine

1 c. à soupe de beurre
1 c. à café (1 c. à thé) de sauce à brunir
4 tranches de pain complet grillé

Faire tremper les cèpes dans 250 ml
(1 tasse) d'eau pendant au moins 4 h. Passer
l'eau des cèpes dans un tamis doublé d'un
papier essuie-tout et réserver. Laver les cèpes,
les assécher le mieux possible et réserver.
Retirer les nerfs des foies de poulet. Couper
les foies en grosses bouchées ou séparer les
lobes. Bien les assécher. Mettre les huiles
dans une sauteuse et faire rissoler l'échalote
quelques instants, y faire ensuite sauter les
foies. Retourner les foies deux ou trois fois,
ajouter l'ail et les herbes de Provence, cuire
encore quelques instants, puis ajouter le
brandy. Laisser l'alcool s'évaporer, saler,
poivrer et réserver. Dans une petite casserole,
faire chauffer la crème mélangée à l'eau
des cèpes, ajouter le zeste de citron et laisser
réduire légèrement. Faire un beurre manié
en mélangeant bien la farine avec le beurre,
puis épaissir la sauce avec ce beurre.
Ajouter la sauce à brunir. Déposer une
tranche de pain par assiette. Remettre les
foies sur le feu, ajouter la sauce et, dès
qu'elle recommence à frémir, verser les
foies et la sauce dans les assiettes, sur
le pain.

poule au pot

*« Je veux qu'il n'y ait si pauvre
paysan en mon royaume qu'il n'ait tous les
dimanches sa poule au pot ! » J'ai toujours
soupçonné qu'Henri IV avait fait cette*

*déclaration fracassante pour faire oublier à
ses pauvres sujets ses frasques amoureuses
et ses guerres incessantes. Quoi qu'il en soit,
on ne mange plus de poule au pot. D'abord,
parce qu'on ne vend plus de poule et puis
parce que c'est long à préparer. Cela dit,
on a bien tort, car même avec un poulet
— surtout un poulet de grain et encore plus
un poulet qu'on a élevé en liberté, en parcours
libre, dit-on en France —, la poule au pot,
c'est un délice.*

*Mais la meilleure que j'aie jamais man-
gée, c'est chez mon amie Suzanne Roy, qui
fait aussi bien à manger qu'elle dirige avec
doigté des équipes de cinéma et de télévision.*

*La poule au pot qu'elle nous avait servie
un soir de janvier fondait dans la bouche et
c'est ainsi qu'elle doit être. Elle avait pris sa
recette dans le magazine Gourmet qui, lui,
l'avait empruntée à David Tanis, un chef de
San Francisco.*

*Voici donc mon interprétation de cette
magnifique poule au pot qui vaut bien ses
longues minutes de préparation.*

POUR 4 À 5 PERSONNES
1 poulet de grain ou, encore mieux, bio
    d'environ 2 kg (4 1/2 lb)
Sel et poivre du moulin
Un bouquet de thym frais
2 litres (8 tasses) de bouillon de poulet
250 ml (1 tasse) de vermouth blanc
    extra-dry
1 litre (4 tasses) d'eau
1 oignon jaune pelé, piqué de 2 clous de
    girofle

1 tête d'ail grossièrement pelée et
   coupée en 2, à l'horizontale
1 branche de céleri
1 feuille de laurier
24 petits oignons blancs
12 carottes
12 petites pommes de terre
4 à 5 panais
1 pied de céleri coupé en biseau, puis
   en morceaux d'environ 5 cm (2 po)
   de longueur

la sauce

1 gousse d'ail pelée et émincée
   grossièrement
1 c. à soupe de câpres bien rincées
1/2 c. à café (1/2 c. à thé) de sel
120 g (2 tasses) de persil italien, frais,
   émincé
120 g (2 tasses) de feuilles de cresson
   frais, émincées
180 ml (3/4 tasse) d'huile d'olive
Sel et poivre du moulin

Laver et bien essuyer le poulet à l'extérieur
comme à l'intérieur. Saler et poivrer
l'intérieur du poulet, y insérer le bouquet
de thym frais et laisser le poulet au
réfrigérateur pendant environ 3 h afin
qu'il prenne la saveur du thym.

Mettre le poulet dans une grande
cocotte, ajouter le bouillon, le vermouth et
l'eau, l'oignon, l'ail, le céleri, le laurier, le
sel et le poivre, puis porter à ébullition.
Réduire le feu et faire cuire à tout petits
bouillons jusqu'à ce que le poulet soit

tendre et qu'un liquide clair en sorte quand
on le pique.

Enlever le poulet de la cocotte, le déposer
dans une grande assiette et le couvrir d'un
papier d'aluminium. Couler le bouillon et le
remettre dans la cocotte. Porter à ébullition,
puis ajouter les petits oignons, les carottes,
les pommes de terre, les panais et le céleri
et faire cuire à feu moyen, partiellement
couvert, jusqu'à ce que les légumes soient
al dente. Calculer entre 20 et 30 min, selon
la grosseur et la fraîcheur des légumes.

Pendant ce temps, enlever toute la peau
du poulet, puis le couper en portions. Mettre
les morceaux dans un grand bol de service
et y mettre aussi tous les légumes, moins leur
bouillon. Garder au chaud. Dégraisser le
bouillon, si nécessaire, et le garder bouillant.

la sauce

En cours de cuisson du poulet, on peut
préparer la sauce. Dans un mortier, écraser
l'ail et les câpres avec le sel. Mettre cette
pâte dans un mélangeur avec le persil et le
cresson, puis réduire en purée en arrêtant
et en repartant le moteur du mélangeur.
Laisser le moteur en marche, puis ajouter
l'huile d'olive en petit filet continu, comme
on le fait pour une mayonnaise. Saler et
poivrer la sauce ainsi obtenue.

Servir le poulet et les légumes dans
des assiettes à soupe bien chaudes, puis
arroser généreusement de bouillon. Quant
à la sauce, on peut laisser à chacun le soin
de s'en servir ou on peut en napper les
légumes et le poulet.

poulet aux olives

La cuisine de la Méditerranée ne saurait se réussir sans citrons et, souvent, sans olives. Dans le premier tome (voir p. 369), je donne une recette de Canard aux olives que je fais depuis la nuit des temps, mais voici une façon de préparer le poulet qui est fort goûteuse, ce qui est une bénédiction avec les poulets fades qu'on trouve sur nos marchés, de pauvres poulets élevés en batterie sans jamais voir la lumière du jour.

POUR 4 À 5 PERSONNES

1 poulet d'environ 2 kg (4 1/2 lb)
60 ml (1/4 tasse) d'huile d'olive de qualité
1 oignon jaune émincé
1 c. à soupe de gingembre frais, râpé
3 gousses d'ail émincées finement
250 ml (1 tasse) de bouillon de poulet
Une pincée de safran
4 à 5 petits poireaux
1 c. à café (1 c. à thé) de paprika ou de
    piment d'Espelette séché
2 douzaines d'olives noires non marinées
Le jus de 1/2 citron

Préchauffer le four à 220 °C (425 °F). Déposer le poulet dans une lèchefrite et le mettre au four. Le faire dorer sur toutes ses faces après l'avoir badigeonné généreusement d'huile d'olive.

Pendant ce temps, dans une grande casserole de fonte émaillée, faire chauffer l'huile qui reste à feu moyen, puis ajouter l'oignon, le gingembre et l'ail et remuer de temps à autre. Quand l'oignon est bien

doré, ajouter le bouillon de poulet et le safran, puis porter à ébullition. Transférer le poulet dans cette casserole, couvrir et cuire environ 1 h ou jusqu'à ce qu'un jus rosé sorte du poulet quand on le pique avec une broche ou une brochette de bois.

Ne garder que le blanc des poireaux, bien les laver et les ficeler. Dès que le poulet est pratiquement cuit, ajouter les poireaux dans la casserole. Découvrir à demi et faire cuire environ 15 min. Le bouillon doit avoir réduit de moitié. Quand les poireaux sont al dente, ajouter le paprika ou le piment d'Espelette. Quelques minutes avant de servir, ajouter les olives et le jus de citron.

Servir tel quel dans des assiettes creuses bien chaudes.

poulet rôti sur une canette de bière

Je n'ai pas fait cette recette, mais j'en ai beaucoup entendu parler, en particulier par mon amie Janette Bertrand, qui s'en fait la propagandiste. Janette est tellement convaincue qu'on ne peut faire de meilleur poulet grillé qu'elle photocopie la recette et la distribue à toutes les personnes qu'elle aime. Et comme elle aime tout le monde ou presque, elle fait beaucoup de photocopies !

POUR 4 À 5 PERSONNES

la marinade
2 c. à soupe de cassonade
1 c. à soupe de poivre concassé

1 c. à soupe d'ail émincé très finement
1 c. à soupe de gros sel de mer
1 piment oiseau écrasé
5 baies de genièvre écrasées
5 grains de coriandre écrasés

le poulet
1 poulet d'environ 2 kg (4 ½ lb)
1 canette de bière (sa marque préférée)

la marinade
Mettre tous les ingrédients dans un mortier et bien les écraser.

le poulet
Laver le poulet à grande eau, le débarrasser de tout son gras et de son cou, puis l'éponger soigneusement à l'extérieur comme à l'intérieur. Enduire le poulet d'une partie de la marinade, en mettre un peu à l'intérieur et en réserver environ 1 c. à café (1 c. à thé).

Préchauffer le four à 220 °C (425 °F). Ouvrir la canette de bière, verser la moitié de la bière dans une lèchefrite qui servira à recueillir les graisses du poulet, puis introduire le reste de la marinade dans la canette. Faire 2 ou 3 trous additionnels dans le couvercle de la canette avec un pic ou un clou.

Empaler le poulet sur la canette de bière et lui étirer les cuisses de manière à former un trépied afin que le poulet puisse tenir par lui-même. Replier les ailes sur le dos du poulet et les attacher ensemble avec une ficelle. Déposer le poulet et la canette dans la lèchefrite.

Quand le four est chaud, déposer la lèchefrite et le poulet dans le bas du four. Après 20 min, réduire la chaleur à 180 °C (350 °F). Cuire encore environ 1 h.

Lorsque le poulet est cuit, le libérer de sa canette et le laisser reposer environ 5 min au four, le temps de faire une sauce avec la bière et le gras qui est tombé dans la lèchefrite. On peut préparer une sauce en transvidant d'abord le liquide dans une poêle. Faire ensuite réduire le liquide de moitié, l'épaissir légèrement avec du beurre manié (voir p. 191), puis corriger l'assaisonnement s'il y a lieu.

On sert le poulet avec un légume vert, une salade verte ou une purée de légumes et on le mange en buvant... de la bière !

C'est évident qu'on peut avantageusement faire ce poulet au barbecue. C'est d'ailleurs une vraie recette d'homme ! Quand on fait griller le poulet au barbecue, il faut le faire en préparant le gril pour une cuisson à chaleur indirecte, c'est-à-dire en plaçant le poulet du côté où le brûleur est fermé.

Pour donner au poulet un goût de barbecue, on ajoute des copeaux de bois qu'on a fait tremper dans un peu de bière et qu'on enveloppe dans une feuille de papier d'aluminium. La fumée qui s'en dégage en cours de cuisson donne au poulet une saveur additionnelle.

Bon appétit, vous qui aimez la bière et les cuissons étonnantes.

Z

Zeste

ZESTE

La meilleure façon de prélever le zeste d'un fruit, orange ou citron jaune ou vert, c'est encore avec un couteau économe. Attention, toutefois, il y a des économes qui font des tranches assez épaisses. Les moins bons, c'est-à-dire les moins chers, sont ceux qui, en général, font les pelures les plus minces. Pour zester, ils sont parfaits.

Quand on fait des zestes d'orange et de citron jaune, il faut d'abord bien laver les fruits. Au savon et à l'eau, de préférence. Et on les brosse. Ces deux agrumes sont presque toujours traités avec des produits chimiques. Quant aux citrons verts, on peut se contenter de les laver avec soin.

Après avoir fait des lanières de zeste dans le sens du fruit avec un économe, on prend un couteau d'office bien coupant et on tranche chaque lanière en julienne. Puis on tient entre les doigts d'une main plusieurs lanières ensemble et de l'autre, on coupe les lanières en tout petits bouts. Si on souhaite du zeste haché encore plus finement, on finit le travail avec un couteau à hacher. On peut ainsi obtenir du zeste qui est presque en poudre.

Qu'on prépare le zeste de citron jaune en julienne ou haché, si on veut un goût de citron moins prononcé et qui ne soit pas du tout âcre, il faut plonger les lanières de zeste 30 sec dans l'eau bouillante. Ensuite, on égoutte.

Le zeste de citron vert ou d'orange n'a pas besoin d'être blanchi ainsi. Si vous le faites, il perdra non seulement sa couleur, mais aussi sa saveur.

Pour les desserts et les pâtisseries, il est toujours bien intéressant de faire mariner le zeste dans une liqueur ou un alcool. Le Limoncello et le kirsch se prêtent très bien à mariner le zeste des citrons jaune et vert. Et le Grand Marnier, le curaçao ou le Drambuie donnent beaucoup de saveur au zeste d'orange.

On peut aussi faire du zeste de clémentine ou de mandarine, mais c'est du zeste plutôt insignifiant. En d'autres mots, c'est se donner beaucoup de mal pour peu de chose.

Index des recettes

Autres découvertes

Achevé d'imprimer au Canada
en octobre 2004
sur les presses des Imprimeries Transcontinental Inc.